O cristianismo é si
é clara, mas não tri
lidade cristã é um
revelada na Palavra
ao público de hoje.
cedido nesse intento. Com base em passagens-chave do
Evangelho de Marcos, Tiago expõe a profunda simplicidade da verdade bíblica em seu propósito de nos ensinar, repreender, corrigir e educar. Uma leitura que nos encoraja na rota de uma espiritualidade verdadeira e prática.

ALEXANDRE "SACHA" MENDES,
pastor na Igreja Batista Maranata, em São José dos Campos (SP)

Seguindo de perto os passos de Jesus no Evangelho de Marcos, Tiago Abdalla demonstra, com clareza e precisão, que a "espiritualidade cristã", longe de ser um conceito obscuro e quase esotérico, consiste, na verdade, em um conjunto de hábitos e práticas bíblicas fundamentais para um relacionamento autêntico com Deus. Um dos maiores méritos de Abdalla é a maneira como ele conduz o leitor a aplicar os vários aspectos da espiritualidade de Jesus às mais variadas situações do dia a dia, em uma espiritualidade do ordinário, "pé no chão".

DIEGO DY CARLOS ARAÚJO,
professor pesquisador na área de Estudos Bíblicos no
Seminário Teológico Cristão Evangélico do Brasil (SETECEB)

O Evangelho de Marcos tem sido meu companheiro de vida e ministério há muitos anos. É um texto que me encanta em sua brilhante simplicidade, algo que Tiago Abdalla capturou muito bem neste seu livro. Em uma abordagem simples, o autor apresenta a beleza de temas importantes desse Evangelho, a partir de uma perspectiva devocional e contemporânea. Fará seus leitores pausar para refletir sobre o verdadeiro significado da espiritualidade segundo Cristo.

MARCELO BERTI,
pastor na Igreja Fonte São Paulo

Esta obra nos convida a um processo contínuo de transformação, no contexto do discipulado cristão. O autor propõe um caminhar que resulte na plena integração de todo o nosso ser tendo como base um relacionamento de intimidade com o Senhor Jesus. Visto por fora, o tamanho do livro não assusta; conhecido por dentro, página por página, sua proposta surpreende. Leitura essencial e oportuna. Uma bênção em forma de livro.

ZIEL MACHADO,
vice-reitor do Seminário Servo de Cristo, em São Paulo

curadoria 🌱 sementes

A espiritualidade de Jesus

Reflexões no Evangelho de Marcos

TIAGO ABDALLA

MUNDO CRISTÃO

Copyright © 2023 por Tiago Abdalla T. Neto

Os textos bíblicos foram extraídos da *Nova Versão Transformadora* (NVT), da Tyndale House Foundation, salvo as seguintes indicações: *Almeida Revista e Atualizada*, 2ª edição (RA), da Sociedade Bíblica do Brasil; e *Nova Versão Internacional* (NVI), da Bíblica, Inc. Eventuais destaques nos textos bíblicos e citações em geral referem-se a grifos do autor.

Todos os direitos reservados e protegidos pela Lei 9.610, de 19/02/1998.

É expressamente proibida a reprodução total ou parcial deste livro, por quaisquer meios (eletrônicos, mecânicos, fotográficos, gravação e outros), sem prévia autorização, por escrito, da editora.

Imagem de capa: Steve Johnson / Unsplash

CIP-Brasil. Catalogação na publicação
Sindicato Nacional dos Editores de Livros, RJ

A116e
    Abdalla, Tiago
      A espiritualidade de Jesus : reflexões no evangelho de Marcos / Tiago Abdalla. - 1. ed. - São Paulo : Mundo Cristão, 2023.
      104 p.

      ISBN 978-65-5988-202-1

      1. Bíblia. N.T. Marcos - Crítica, interpretação, etc. 2. Jesus Cristo - Personalidade e missão. 3. Espiritualidade. I. Título.

23-82610
                            CDD: 226.306
                            CDU: 27-247.6

Meri Gleice Rodrigues de Souza - Bibliotecária - CRB-7/6439

Categoria: Espiritualidade
1ª edição: abril de 2023
1ª reimpressão: 2023

Edição
Daniel Faria

Revisão
Natália Custódio

Produção e diagramação
Felipe Marques

Colaboração
Ana Luiza Ferreira

Capa
Marina Timm

Publicado no Brasil com todos os direitos reservados por:

Editora Mundo Cristão
Rua Antônio Carlos Tacconi, 69
São Paulo, SP, Brasil
CEP 04810-020
Telefone: (11) 2127-4147
www.mundocristao.com.br

Dedico este livro às três mulheres que me
ensinam como a espiritualidade verdadeira
pode ser alegre, comunitária e fervorosa.
Muito obrigado, Fabi, Kathy e Bia,
por sua perseverança, amor e disposição
em buscar a Deus juntos como família.

Também dedico esta obra a meus amigos
e leitores leais, fontes de encorajamento
nesse ministério de produção de texto:
Josué Noboru Saito, Mateus Baia
e Daniel Supimpa.

Sumário

Introdução   9

1. O ponto de encontro entre o serviço   13
e a oração
2. Entre o bem e o mal: os limites entre   23
a religiosidade cega e a espiritualidade
verdadeira
3. Cristo, o Servo, como modelo para   38
o servo de Cristo
4. Traição ou devoção? Eis a questão!   47
5. Orando em um jardim   69
6. A suficiência de Cristo nas limitações   84
humanas

Notas   96
Sobre o autor   103

Introdução

Cada época e cada contexto têm suas palavras e expressões preferidas. Quando frequentei a universidade, termos como "pluralismo", "polissemia", "tolerância" e "espiritualidade" estavam na moda. A última delas há vários anos ultrapassou as fronteiras religiosa e acadêmica e alcançou o interesse público. Espiritualidade soa bem em discursos na mídia ou numa conversa pessoal em uma festa com os colegas de trabalho. Fala-se sobre "espiritualidade no mundo corporativo", "sustentabilidade e espiritualidade",[1] "o poder da espiritualidade na hora da morte"[2] e até mesmo sobre "espiritualidade sem Deus".[3] Mas qual é o sentido básico de espiritualidade? E qual é a sua importância para aqueles que são seguidores de Cristo Jesus?

A espiritualidade tem sua origem na palavra latina *spiritus* ("espírito") e está, portanto, relacionada à dimensão interior da pessoa e suas experiências com a realidade suprema e final.[4] Da perspectiva bíblica, ela não exclui o mundo material, uma vez que a realidade suprema e final, o próprio Deus, criou o mundo e o chamou de "muito bom" (Gn 1.31). A espiritualidade cristã diz respeito à qualidade de nosso relacionamento com Deus e à aplicação a nossa vida diária daquilo em que cremos e que confessamos.[5] Sua importância está na busca por aprofundar o relacionamento com o Criador e Redentor de nossa vida. O cristianismo não se resume a um conjunto de ideias, mas envolve a experiência prática da revelação de Deus de um modo que cresçamos na comunhão com ele e no desfrute de sua presença.

Alister McGrath alistou quatro elementos básicos para entendermos a ideia de espiritualidade cristã:

> Conhecer a Deus, não apenas conhecer sobre Deus.
> Ter experiências com Deus plenamente.
> Transformação da existência com base na fé cristã.
> Alcançar autenticidade cristã na vida e no
> pensamento.[6]

Assim, a espiritualidade cristã implica a busca por uma vida autêntica e significativa, relacionando as doutrinas fundamentais do cristianismo com todas as dimensões de nossa experiência. Não queremos ser apenas *ouvintes* da Palavra, mas *praticantes* efetivos dela (Tg 1.21-25). E se desejamos ter um quadro concreto e perfeito do que significa a prática da espiritualidade bíblica e autêntica, ninguém melhor do que o próprio Cristo para nos mostrar isso.

Jesus se relacionava com o Pai de um modo tão real e vital quanto o ar que respirava. Muitas vezes, retirava-se para lugares isolados ou permanecia em um local até mais tarde, depois de despedir-se da multidão, para investir tempo em comunhão profunda com Deus. Jesus não apenas ensinava sobre oração, ele cultivava uma vida constante de relacionamento com o Pai. E longe de isolá-lo das pessoas e torná-lo introspectivo, a comunhão com Deus o levava a uma vida de serviço sacrificial e desinteressado àqueles a seu redor. A espiritualidade de Jesus o direcionava aos outros, era uma espiritualidade com "os pés no chão". Ela abrangia todas as esferas de sua vida e estava ligada a Deus e aos indivíduos de carne e osso a quem ministrava.

Por isso, convido-o a ler com atenção o Evangelho de Marcos e a crescer na compreensão do que significa uma espiritualidade cristã autêntica. Minha oração é que você não apenas defina "espiritualidade", mas a pratique usando como modelo nosso Senhor Jesus. Assim como minhas filhas em suas aulas de balé, que observam os passos e movimentos da professora para dançarem da forma correta e mais natural possível, somos chamados a olhar com atenção para cada movimento de Jesus e crescer em uma experiência cristã cada vez mais profunda e real. Não queremos apenas dizer: "Senhor! Senhor!" (Mt 7.22), mas também praticar as palavras de Jesus, como o homem que "constrói sua casa sobre rocha firme" (Mt 7.24). Falando em Jesus, eis que ele se aproxima para nossa aula. Preste bem atenção e siga seus movimentos.

1
O ponto de encontro entre o serviço e a oração

Uma maneira comum de conceber a espiritualidade em nossos dias é pensar que o encontro com Deus ou com algum tipo de divindade ocorre quando conseguimos tirar vários dias de folga para orar num local paradisíaco, distantes de nossa rotina e da sociedade "pecadora" que nos cerca. Em uma situação assim seria possível experimentar uma espiritualidade autêntica, um contato direto com o divino. Uma imagem muito comum do mundo contemporâneo que nos vem à mente, por exemplo, são os monges budistas do Tibete sentados com as pernas cruzadas em um monastério num local retirado.

No dia a dia agitado, porém, imaginamos que é impossível ter uma espiritualidade significativa. Talvez pensemos que nosso relacionamento com Deus está ligado apenas à oração e à leitura da Palavra de Deus, deixando de perceber que nosso serviço aos outros também é um ato de adoração. Quando ajudamos o cônjuge com o trabalho de casa, quando trabalhamos para organizar o salão da igreja, quando servimos alguém de nossa igreja com uma refeição em um momento corrido na vida dessa pessoa, estamos prestando culto ao Senhor.

Por outro lado, há o risco do ativismo religioso: fazer coisas e mais coisas para os outros ou em nossa igreja local como forma de ocultar ou cobrir nossa falta de desejo ou busca real pelo Senhor. Realizamos coisas "para o Senhor", mas não estamos dispostos a passar tempo em comunhão com ele.

Como evitar os dois extremos ou perspectivas erradas? Em Marcos 1.35-39, Jesus, o Mestre que nos chama a segui-lo, nos mostra o equilíbrio entre oração e serviço.

No dia seguinte, antes do amanhecer, Jesus se levantou e foi a um lugar isolado para orar. Mais tarde, Simão e os outros saíram para procurá-lo. Quando o encontraram, disseram: "Todos estão à sua procura!".

Jesus respondeu: "Devemos prosseguir para outras cidades e lá também anunciar minha mensagem. Foi para isso que vim". Então ele viajou por toda a região da Galileia, pregando nas sinagogas e expulsando demônios.

A prioridade da oração

Quando observamos com cuidado a cena que Marcos nos apresenta, fica muito clara a prioridade da oração na vida de Jesus. Temos de concordar que Jesus havia trabalhado bastante no dia anterior: pregação, curas e confrontação com demônios. Qualquer um de nós estaria exausto! E aproveitaria bastante a noite de sono. Mas com Jesus é diferente.

Marcos apresenta de forma progressiva o momento em que Jesus sai da cama. Nossa sensação é a de assistir a um vídeo em câmera lenta. Era madrugada, talvez entre três e quatro horas da manhã, quando ainda estava escuro. O propósito de Jesus em se levantar não foi outro senão buscar a comunhão com o Pai. Ele não se contenta em se ajoelhar próximo de sua cama e orar ali mesmo; antes, retira-se para "um lugar isolado", onde poderia mergulhar na oração sem interrupções. O lugar era tão afastado que apenas depois de uma busca intensa é que os discípulos o encontram. O desejo e a urgência em buscar esse retiro de oração revelam que Jesus não é um feiticeiro que trabalha por magia, independente da ajuda de Deus. Sua autoridade, força e poder vêm de seu Pai celestial.[1]

O aspecto do verbo imperfeito no grego indica um orar contínuo. Não foi simplesmente uma oração para garantir a bênção do dia, mas sim a manutenção do alinhamento da comunhão com aquele que o enviara e o capacitava a pregar e servir com poder. O constante assédio da multidão e a fama exigiam de Jesus um relacionamento intenso com Deus, a fim de se concentrar no propósito de sua missão. A oração foi importante para que Jesus dissesse "Não!" à proposta de permanecer em Cafarnaum, o que implicaria deixar de lado o restante da Galileia que, da mesma forma, precisava ouvir acerca do reino de Deus e conhecer seu poder.

O serviço não deveria ser desculpa para a ausência da oração. Não importava quão cansado Jesus estivesse nem quão cheia fosse sua agenda, a oração era fator essencial para a continuidade de seu serviço. A importância do ministério de Jesus não consistia apenas no que ele realizava pela humanidade, mas também em sua identificação com o Pai e no cumprimento da missão que este lhe confiou. De acordo com a narrativa de Marcos, Jesus não é um asceta contemplativo nem um ativista social. Ele não promove uma agenda ideológica, mas desenvolve seu ministério a partir do relacionamento com o Pai.[2] A falta de oração geralmente revela autossuficiência, ao passo que uma vida cheia de oração revela humildade e dependência de Deus.

O exemplo de Jesus marca a prioridade da oração também em nossa vida. Independentemente do cansaço físico ou dos inúmeros compromissos, sempre deve haver lugar para nos mantermos em comunhão com Deus. Quando aceitamos a justificativa do "isso é difícil" com o sentido de "isso é impossível", mostramos que nossas prioridades estão mais nas coisas deste mundo do que na eternidade.

Olhando para o exemplo de Cristo, você tem priorizado sua vida de oração ou deixado a rotina tirar seu tempo com o Pai? Será que o período deitado no sofá ou sentado na mesa olhando os *stories* dos amigos ou assistindo a sua série favorita é mais importante que seu tempo com o Senhor? Muitas vezes estamos dispostos a fazer grandes sacrifícios e dormir pouco para realizar uma viagem dos sonhos, adquirir uma casa própria, visitar uma pessoa que amamos, investir tempo com os amigos. Será que temos essa mesma disposição para dedicar tempo diário à oração?

A oração nos ensina a depender de Deus em nossos planos, desejos e realizações. Perceba que a oração de Jesus não se caracteriza por tentar mudar Deus, mas pela importância de passar momentos a sós com ele. Muitas vezes somos utilitaristas em nossas orações. Oramos com o propósito de alcançar o que queremos. Os estudos, o namoro, o emprego, a saúde e a proteção da viagem. Raramente vemos a oração como um meio de crescer na compreensão da soberania de Deus, pedindo a direção de seus propósitos e uma vida mais santa e obediente. Deixamos de olhar para o passado e ver o que Deus fez na nossa vida e na vida de seu povo, sendo gratos por isso e alimentando a confiança naquele que cuida de nós.

Ao tratar sobre a oração em um pequeno livro que escreveu, Lutero propunha a seu destinatário que orasse com base nas Escrituras. Ensinou-o a orar conforme os Dez Mandamentos: primeiramente, observando o princípio do texto; depois, pedindo perdão pelas vezes que quebrou aquela exigência de Deus; e, então, agradecendo ao Senhor pelos benefícios dessa ordem transmitida a seu povo e clamando para que fosse capaz de obedecer a ela.[3] Essa é uma compreensão próxima do exemplo deixado por Jesus; a oração é um meio de buscar a santidade e a vontade de Deus na terra, assim como elas já são uma realidade nos céus (Mt 6.9-10).

A necessidade da pregação servil

Após chegar ao fim de sua busca, os discípulos fazem a proposta para que Jesus volte para casa e ali cure e liberte muitos outros que o aguardavam. Contudo, o "todos" de Pedro era limitado quando comparado ao "todos" que Deus pretendia atingir mediante o ministério do Filho. Jesus não deveria limitar seu ministério a Cafarnaum; havia muitas pessoas em toda a província da Galileia para ministrar. Não eram os planos de Pedro que determinariam a agenda de Jesus, mas sim o propósito do Pai.

A jornada de Jesus pela Galileia consistiu em duas ações. A primeira era pregar às pessoas a mensagem do reino de Deus, e a segunda, libertar aqueles que se achavam debaixo do poder das trevas. A verdade da presença do reino era autenticada pela demonstração de seu poder. Como escreveu Mateus: "Mas se é pelo Espírito de Deus que eu expulso demônios, então chegou a vocês o reino de Deus" (Mt 12.28). O reino de Deus estava invadindo o reino de Satanás e resgatando aqueles que lhe pertencem. Jesus não apenas falava, mas também encarnava sua mensagem servindo àqueles que careciam de sua ajuda.

Esse texto nos revela a importância de trilhar o caminho do Mestre na proclamação do reino de Deus e de evidenciar de forma concreta a presença do reino.

As pessoas precisam ouvir a verdade. A verdade de que estão distantes de Deus e necessitam urgentemente da salvação de Jesus. Elas precisam crer no Deus de graça e redenção, que nos perdoa de nossos pecados e deseja ser o Rei de nossa vida. Não podemos esperar que elas venham a nós; é necessário sair como Jesus saiu para tornar essa mensagem conhecida. O local de culto não é o lugar sacro exclusivo para a proclamação. Toda terra é terra santa, como nos lembravam os puritanos dizendo que um cristão pode considerar "sua loja um lugar tão santo quanto sua capela".[4] Podemos anunciar Jesus no trabalho, numa conversa com aquela pessoa que se assenta ao nosso lado no metrô, num bate-papo com o vizinho ou um parente. Não podemos perder de perspectiva a missão proclamadora da igreja. Devemos ir ao encontro do pecador e lhe anunciar as boas-novas da salvação.

Devemos também encarnar a presença do reino de Deus entre aqueles que nos cercam. O governo de Deus deve ser presente e causar a transformação de nossa vida. Como falaremos ao mundo do amor de Deus, se não estendemos nossas mãos em ajuda a alguém que precisa? Como um colega de trabalho pode ver o amor de Deus, se estamos sempre indispostos a ajudá-lo nas dificuldades que ele enfrenta? Ou como uma pessoa da família crerá em um Deus de amor que se interessa pelos pecadores, se constantemente demonstramos desprezo e desconsideração por ela? Como verão a santidade e justiça de Deus, se somos desonestos em nossa relação com o próximo ou se mentimos para nossos pais e filhos ou para o chefe no trabalho? Se não demonstrarmos respeito e pureza em nossos relacionamentos interpessoais, como verão a pureza de Cristo em nós?

Pregação e serviço precisam caminhar juntos. Não são opostos a uma vida de oração, mas a complementam como parte de uma espiritualidade plena, como uma vida de adoração constante. Seguir o Mestre e Rei, Cristo Jesus, implica orar enquanto servimos e servir enquanto oramos.

Certa vez, ouvi um pastor ilustrar a importância de a pregação ser acompanhada do amor. Ele contou a história de um homem que se aproximou de sua igreja porque percebeu ali o amor real que as pessoas demonstravam por ele. Não era mais um número ou um pecador contagioso com quem não podiam se misturar. O amor ativo cativou esse homem e o levou a se abrir para ouvir o evangelho. Ele percebeu que a mensagem que pregavam era a mensagem que viviam.

2

Entre o bem e o mal: os limites entre a religiosidade cega e a espiritualidade verdadeira

Os americanos nunca se esquecerão do ocorrido no dia 11 de setembro de 2001. Um após o outro, dois aviões pilotados por terroristas muçulmanos se dirigem às chamadas Torres Gêmeas, em Nova York, e colidem com os então imponentes edifícios. Um desastre! Centenas de pessoas mortas em um incidente jamais esperado. Familiares e amigos choram profundamente seus mortos, e a nação entra em choque.

Se fossem indagados sobre a razão do atentado, certamente os homens que estavam no avião argumentariam que fizeram isso em nome de Deus. "Os americanos cristãos são infiéis que devem ser atacados numa guerra santa, e é isto o que fizemos ao destruir milhares de vidas", diriam.

A intolerância religiosa sempre existiu na história. Outro exemplo dela foi a morte na fogueira, sentenciada pela Igreja Católica, do pregador da Boêmia John Huss. Ao defender a autoridade das Escrituras acima do papa, Huss acabou tornando-se vítima de religiosos que não admitiam, de forma alguma, a existência de um pensamento diferente do seu.

Esses acontecimentos nos alertam para o perigo de fazer de nossa religiosidade um fim em si. Talvez nunca cheguemos a matar uma pessoa na preocupação de manter nosso *status* religioso, mas, provavelmente, já prejudicamos e ferimos várias delas. Um texto das Escrituras nos protege do perigo da religiosidade cega. Aquela religiosidade cujo deus é o próprio ser humano e seu anelo insaciável de reconhecimento e poder.

Em Marcos 3.1-6, encontramos três cenas que mostram a religião fria dos fariseus e o antídoto para ela, a saber, a espiritualidade verdadeira demonstrada por Jesus. Se quisermos fugir do legalismo ou do orgulho religioso, precisamos seguir as pegadas do Mestre e aprender sobre a espiritualidade segundo o coração de Deus.

Em outra ocasião, Jesus entrou na sinagoga e notou que havia ali um homem com uma das mãos deformada. Os inimigos de Jesus o observavam atentamente. Se ele curasse a mão do homem, planejavam acusá-lo, pois era sábado. Jesus disse ao homem com a mão deformada: "Venha e fique diante de todos".

Em seguida, voltou-se para seus críticos e perguntou: "O que a lei permite fazer no sábado? O bem ou o mal? Salvar uma vida ou destruí-la?". Eles ficaram em silêncio.

Jesus olhou para os que estavam ao seu redor, irado e muito triste pelo coração endurecido deles. Então disse ao homem: "Estenda a mão". O homem estendeu a mão, e ela foi restaurada. No mesmo instante, os fariseus saíram e se reuniram com os membros do partido de Herodes para tramar um modo de matá-lo.

A ameaça da religiosidade cega

No texto anterior, Marcos narrou o confronto de Jesus com o legalismo dos fariseus, quando seus discípulos colhiam espigas e comiam no sábado (Mc 2.23-28). A parte final resumiu o ensino de Jesus de que o sábado fora estabelecido para o bem da humanidade, a fim de servi-la, e não o contrário (2.27). Além disso, o próprio Jesus é o Senhor do sábado, aquele que determina o seu propósito e como deve ser vivenciado (2.28). "Com Jesus o sábado é reintroduzido no reinado de Deus. Ele não é abolido, mas reorientado para o seu sentido antigo, original e eterno."[1]

Em Marcos 3.1-6, o sábado continua a funcionar como a moldura do quadro, ainda que a situação retratada seja diferente. Como era comum nesse dia, havia o culto na sinagoga e Jesus estava presente. Mas, além dele, havia alguém especial, um homem cuja mão era deformada ou atrofiada.

O texto menciona ainda outros personagens. Eles estavam com os olhos voltados para Jesus a fim de ver se curaria o doente no dia de sábado. A Nova Versão Transformadora descreve bem a atitude deles como "o observavam atentamente" (Mc 3.1). O verbo grego indica uma ação cuidadosa, de olhar com muita atenção em busca de uma falha ou um erro. Essa observação atenta me remete a uma situação em minha infância. Minha mãe havia me corrigido por uma desobediência, e, como é natural de uma criança rebelde quando repreendida, esperei que ela saísse e comecei a reclamar comigo mesmo. Mas eu não havia percebido que ela estava atrás da porta, observando qual seria minha reação. Foi só eu começar a murmurar com raiva, que ela saiu de trás da porta e voltou a me corrigir. Essa observação cuidadosa e atenta, como a da minha mãe, ilustra bem a ideia do termo usado por Marcos aqui.

Graças a Lucas, sabemos que esse grupo era formado por fariseus e escribas (Lc 6.7). Esses religiosos tinham uma finalidade astuta ao prestarem atenção em Jesus. Queriam acusá-lo! Não simplesmente difamá-lo. Como deixam claro as ocorrências dessa palavra em outros textos, tinham como propósito uma acusação formal diante de uma autoridade civil.[2] Na tradição judaica, um médico não deveria curar nenhum doente em dia de sábado. Apenas quando o doente corresse real risco de vida, o médico poderia atendê-lo.[3] Curá-lo implicaria trabalho, e trabalho no sábado exigia a pena de morte (Êx 31.14-17).

A questão é que o Antigo Testamento proibiu o trabalho no sábado que implicasse produtividade. Deus desejava que seu povo não se transformasse em máquinas de produção ou de ganhar dinheiro, mas sim em adoradores. Parte disso envolvia dedicar um dia da semana para lembrar do desejo de Deus de que o adoremos, afastando o perigo da rotina controladora.

Em vez de usar o sábado como um dia de adoração a Deus, esses homens estavam fazendo dele um dia de adoração a si mesmos, preparando uma armadilha para, no final das contas, matar Jesus. O sábado acabou se tornando um dia do cultivo do próprio ódio que havia neles, em lugar de cultivarem o amor a Deus e ao próximo. Em nome de Deus, queriam matar o Deus-homem porque este confrontava a sua religiosidade legalista.

Assim como os fariseus da época de Jesus, corremos o risco de nos tornarmos religiosos calculistas, em vez de adoradores autênticos que servem a Deus em resposta de amor. Como isso pode ocorrer?

- A pessoa pode defender a verdade motivada por orgulho e com o alvo de vencer um debate, de modo a depreciar, desrespeitar e humilhar o próximo, sem mostrar a esperança da graça transformadora em Cristo.
- A pessoa pode manipular situações para esconder e acobertar falhas, transmitindo a imagem de ser muito espiritual, alguém em quem é impossível encontrar erros. A tendência dessa pessoa é não se humilhar nem buscar a ajuda de um irmão ou irmã que

possa aconselhá-la e orar com ela por suas lutas e áreas que precisam de crescimento.

- A pessoa pode desenvolver uma atitude de "caça às bruxas" dentro da igreja. Busca sempre ver falhas e defeitos nos outros, comentando isso com terceiros. Afinal, essa difamação a faz se sentir bem ao pensar que não é tão má quanto os outros.
- A pessoa pode ainda, em contrapartida, procurar expor os próprios "feitos espirituais", isto é, a grandeza de seu ministério na igreja, sua intimidade profunda com Deus, seu vasto conhecimento bíblico e assim por diante, buscando o louvor e respeito dos demais.

A constância na busca do bem

Os religiosos haviam se esquecido de que Jesus é o mesmo homem que lhes desvendou o coração quando pensavam consigo mesmos indignados sobre o fato de ele declarar perdão de pecados ao paralítico em Marcos 2.1-12. Assim, Cristo chama o homem da mão atrofiada para o meio, um lugar em que ficasse diante dele e dos fariseus, para mais uma vez revelar os pensamentos de seus adversários.

Jesus coloca lado a lado as suas intenções com as dos fariseus. A pergunta sobre "O que é permitido?" já havia aparecido em Marcos 2.24 na boca dos fariseus. Agora é Jesus quem fala sobre o certo e o errado e lança a pergunta: "O que a lei permite fazer no sábado? O bem ou o mal? Salvar uma vida ou destruí-la?" (Mc 3.4). Jesus buscava fazer o bem, isto é, conforme o uso recorrente do verbo "salvar" na Bíblia, ele queria "curar" o doente. Em contraste, a intenção dos religiosos era, desde o início, matar Jesus mediante suas acusações e, portanto, fazer o mal. Jesus ataca a religiosidade que se contenta em cumprir regras, sem enxergar a perspectiva maior da glória de Deus e do bem ao próximo. Deus várias vezes havia criticado seu povo por essa pretensa religiosidade, como é o caso de Isaías 58.2-8:

> "[...] Vêm ao templo todos os dias
> e parecem ter prazer em aprender a meu
> respeito.
> Agem como nação justa
> que jamais abandonaria as leis de seu Deus.
> Pedem que eu atue em favor deles
> e fingem querer estar perto de mim.

Dizem: 'Jejuamos diante de ti!
    Por que não prestas atenção?
Nós nos humilhamos com severidade,
    e tu nem reparas!'.

"Vou lhes dizer por quê", eu respondo.
    "É porque jejuam para satisfazer a si mesmos.
Enquanto isso,
    oprimem seus empregados.
De que adianta jejuar,
    se continuam a brigar e discutir?
Com esse tipo de jejum,
    não ouvirei suas orações.
Vocês se humilham ao cumprir os rituais:
    curvam a cabeça, como junco ao vento,
vestem-se de pano de saco
    e cobrem-se de cinzas.
É isso que chamam de jejum?
    Acreditam mesmo que agradará o Senhor?

"Este é o tipo de jejum que desejo:
Soltem os que foram presos injustamente,
    aliviem as cargas de seus empregados.
Libertem os oprimidos,
    removam as correntes que prendem as pessoas.
Repartam seu alimento com os famintos,
    ofereçam abrigo aos que não têm casa.

Deem roupas aos que precisam,
  não se escondam dos que carecem de ajuda.

"Então sua luz virá como o amanhecer,
  e suas feridas sararão num instante.
Sua justiça os conduzirá adiante,
  e a glória do Senhor os protegerá na
    retaguarda."

Creio que Jesus faz o mesmo com os fariseus e mestres da lei. Confronta seu legalismo com o verdadeiro espírito da lei. A questão de dias é secundária quando está em jogo o bem ou o mal. Sempre se deve praticar o bem, assim como sempre é necessário evitar o mal. "Quem sabe que deve fazer o bem e não o faz, comete pecado" (Tg 4.17). Afinal, o que o Senhor requer de seu povo? "Que pratique a justiça, ame a misericórdia e ande humildemente com seu Deus" (Mq 6.8).

Um modo bem claro em que praticamos o mal em lugar do bem é quando nos preocupamos muito mais com a estrutura, os projetos e programas de nossa igreja, em lugar de nos concentrarmos na intimidade com Deus e no bem do outro. Quando pensamos mais na estrutura, ignoramos o uso de nossos recursos financeiros para ajudar irmãos e pessoas que precisam deles ou para levar a mensagem do evangelho àqueles que ainda não conhecem a Cristo.

Quando damos ênfase demasiada a projetos e programas, as pessoas podem se tornar um obstáculo, em vez de serem o alvo de nosso serviço. Há líderes e membros de igreja que destratam outros porque um programa deu errado ou não aconteceu do jeito que gostariam. Já vi pessoas causarem intriga e tumulto na igreja porque determinado irmão não quis participar de seu projeto. Também há líderes de igreja que estão tão preocupados em fazer a igreja crescer, explodir numericamente, que nela se encontra um número grande de famílias destroçadas, "como ovelhas que não têm pastor".

Além disso, nosso serviço nunca poderá ser um substituto para nossa intimidade com Deus. Há um ativismo muito grande em nossas igrejas, sem uma profundidade real em sua espiritualidade. Corremos o risco de nos transformarmos em religiosos que se esforçam com dedicação para convencer a Deus e às pessoas que somos bons e que nossa vida religiosa está fundamentada em nossos próprios méritos, não nos de Cristo.

O filme *Carruagens de fogo* se baseia em uma história verídica de dois atletas que competiram nas Olimpíadas de Paris, em 1924. Na obra cinematográfica, há um contraste na atitude dos corredores, Harold Abrahams e Eric Liddell, que se dedicaram ao esporte para ganhar a medalha de ouro. Abrahams desejava ser um atleta de sucesso para provar seu valor à sociedade que o cercava. Ao comentar sobre a prova de atletismo em uma das cenas, Abrahams diz: "Tenho dez segundos para justificar minha existência". Liddell, porém, corria como um ato de devoção a Deus. Assim, em outra parte do filme, ele diz à sua irmã: "Deus me fez veloz e, quando corro, sinto o seu prazer". A atitude inquieta de Abrahams revela a essência da postura religiosa que tenta provar seu valor e se justificar perante os demais. Já Liddell está tranquilo, porque sua identidade não está no que ele faz, mas em seu relacionamento com Deus.[4] Como bem expressa Tim Keller:

> Na cruz, no final de seu grande ato de redenção, Jesus disse: "Está consumado", e, então, nós podemos descansar. Na cruz, Jesus estava falando da obra que existe sob a obra de nossas mãos — daquilo que nos

deixa realmente cansados, dessa necessidade de provar a nós mesmos, pois aquilo que somos e fazemos nunca é bom o bastante. Jesus estava falando que essa obra estava consumada. Ele viveu a vida que deveríamos ter vivido e morreu a morte que deveríamos ter morrido. Se você deposita sua confiança na obra consumada por Jesus, sabe que Deus está satisfeito com você e você pode ficar satisfeito com a vida.[5]

A ação dirigida por Deus

O Senhor Jesus não se deixou levar pela pressão dos religiosos. Ele, de fato, se ira, mas também se entristece. A ira de Jesus é justa, assim como Deus manifesta a cada dia o seu furor contra aqueles que decidem permanecer em rebeldia e na prática da injustiça (Sl 7.11). A tristeza que sente é porque o coração endurecido dos fariseus é mais miserável que a condição do homem de mão atrofiada. Endurecimento esse que Paulo mencionará em Romanos 11.25 e que resulta em alienação de Deus e cegueira espiritual (Ef 4.18). Esses homens se tornaram insensíveis; insensíveis para compreender a vontade de Deus e insensíveis para amar o próximo.

Movido pela vontade de Deus, não pelo temor das pessoas, Jesus cura aquele doente sem precisar tocá-lo. A palavra criadora de Gênesis 1.3, "'Haja luz', e houve luz", é restauradora aqui: "Estenda a mão", ele a estendeu, "e ela foi restaurada" (Mc 3.5).

Eles não conseguiram o que queriam! Jesus nada fez, apenas falou! Por isso, como deixa claro o texto paralelo em Lucas, "eles ficaram furiosos" (Lc 6.11). Começaram a tramar com os herodianos, um grupo político de ideais completamente diferentes, buscando uma forma de matar Jesus. A intenção deles ficou clara: usavam o sábado para fazer o mal.

Nosso Senhor deixou seu exemplo da verdadeira espiritualidade. Ela se expressa num coração sensível para compreender a vontade de Deus nas Escrituras e em amor na direção do próximo. "Nós amamos porque ele nos amou primeiro. Se alguém afirma: 'Amo a Deus', mas odeia seu irmão, é mentiroso, pois se não amamos nosso irmão, a quem vemos, como amaremos a Deus, a quem não vemos?" (1Jo 4.19-20).

Nossa sensibilidade em ouvir a voz de Deus nas Escrituras e em praticá-las é proporcionalmente inversa ao temor das pessoas. O temor das pessoas marcava o caráter dos fariseus, preocupados com seu *status* e reputação. Preocupados em não permitir que nada nem ninguém, nem mesmo Jesus, ameaçassem seu retrato de piedade.

Nosso Senhor, por sua vez, agiu motivado por Deus. Sabia o que seu Pai queria e cumpriu seu propósito, ao salvar aquele homem da mão atrofiada. Não se preocupou com sua imagem perante os poderosos e influentes religiosos de sua época. Apenas fez o que devia.

O que determinará se seremos religiosos cegos, famintos pela própria glória, ou se cultivaremos uma espiritualidade genuína que agrada a Deus será nossa disposição em ouvir a voz de Deus ou a das pessoas. Seremos sensíveis ao que Deus pede de nossa vida e obedeceremos? Ou viveremos uma religiosidade fria, preocupada com as aparências e a manutenção de nosso muro religioso? A quem amaremos mais: a Deus e ao próximo, ou a nós mesmos?

3

Cristo, o Servo, como modelo para o servo de Cristo

Todo ser humano gosta de levar vantagem. Pode ser o sujeito na fila do banco que conhece alguém que trabalha ali e passa na frente dos demais, o amigo do político que consegue um lugarzinho como assessor, o estudante que pede cola ou o profissional que bajula o chefe para garantir uma promoção no emprego. Diante de nossa tendência natural por levar vantagem nas interações com o mundo e buscar o benefício próprio, Jesus desafia seus discípulos a experimentarem um estilo de vida contracultural. Na realidade do reino de Deus, o foco é invertido, em que se deixa de concentrar no que trará vantagem, poder ou glória para si e, então, busca-se o bem do próximo, valorizando os interesses deste. O diálogo entre Jesus e seus discípulos, registrado em Marcos 10.41-45, nos apresenta essa perspectiva nada comum.

Quando os outros dez discípulos ouviram o que Tiago e João haviam pedido, ficaram indignados. Então Jesus os reuniu e disse: "Vocês sabem que os que são considerados líderes neste mundo têm poder sobre o povo, e que os oficiais exercem sua autoridade sobre os súditos. Entre vocês, porém, será diferente. Quem quiser ser o líder entre vocês, que seja servo, e quem quiser ser o primeiro entre vocês, que se torne escravo de todos. Pois nem mesmo o Filho do Homem veio para ser servido, mas para servir e dar sua vida em resgate por muitos".

A guerra por poder e influência

Em meio à competitividade dos Doze, Jesus os chama, de forma paciente, para junto de si e transmite uma lição semelhante à que lhes ensinara havia pouco. No capítulo 9, o Mestre usou um exemplo positivo, comparando os discípulos ao ser humano menos reconhecido na sociedade judaica: uma criança (Mc 9.36-37). Em Marcos 10.41-45, ele utiliza um exemplo negativo para falar da vida na comunidade do reino de Deus. O retrato que ilustra seu ensino é o dos governantes das nações ou "os grandes" entre eles. Marcos emprega verbos gregos que indicam "assenhorear-se" ou "subjugar" e "ter autoridade oficial sobre". A Bíblia de Jerusalém oferece uma tradução interessante: "... aqueles que vemos governar as nações as *dominam*, e os seus grandes as *tiranizam*" (Mc 10.42). A ênfase está no poder usado em benefício próprio, para a glória pessoal, e no prejuízo daqueles que estão debaixo desse poder.

Nosso mundo está repleto de conflitos de poder entre pessoas que exercem liderança. Se acompanhamos as redes sociais, lemos notícias na internet ou frequentamos uma universidade, deparamos com verdadeiras guerras pelo poder ideológico e pelas narrativas dominantes. Um grupo tenta se afirmar sobre o outro muitas vezes por meio de desprezo e atitudes belicosas. Todo esse cenário reflete o desejo humano de alcançar poder e exercer domínio sobre os demais, como se nossa identidade estivesse na quantidade de poder ou glória que temos ou recebemos.

Infelizmente, esse anseio por poder e glória pessoal que despreza o próximo tem contaminado a igreja evangélica em nosso país. Pastores e estudantes de teologia se digladiam no Twitter e no Facebook para defender suas ideias ou perspectivas teológicas, e o fazem com palavras que ofendem seus irmãos em Cristo em uma atitude completamente oposta à do Salvador, que em amor e graça se entregou por eles. Cristãos tratam como inimigos aqueles que deveriam chamar de irmãos e humilham aqueles a quem deveriam servir em amor.

Outra manifestação dessa visão mundana no seio da comunidade de Jesus é o uso do ministério como uma escada para a fama pessoal. Lembro-me de uma situação em que recebemos a visita de um diácono de outra igreja em nossa pequena comunidade local. Esse diácono aproximou-se de um membro de nossa comunidade e disse: "Eu não entendo como o Tiago ainda trabalha nessa igrejinha". Alguns meses antes, um aluno de um seminário havia me interpelado: "Professor, como é que o senhor aceitou trabalhar em uma comunidade tão pequena depois que foi ordenado?". O que me surpreendeu nas declarações desses dois não foi minha decisão de trabalhar naquela "igrejinha", mas a atitude deles em olhar para o trabalho pastoral em uma igreja local como algo que deveria visar a fama e o reconhecimento, sem perceberem que estavam falando de um grupo de pessoas que Deus comprou "com seu próprio sangue" (At 20.28). A mesma lógica de poder que opera em nossa sociedade operava também na mente desses dois irmãos. Precisamos lutar contra essa mentalidade, pois o Senhor a quem servimos "não governa como os reis deste mundo, subjugando e explorando [...], mas servindo. Seu trono é a cruz, seu cetro as marcas dos pregos, seu poder o perdão".[1]

O serviço sacrificial para o bem dos outros

Em contraste com essa cena, comum para aqueles que faziam parte do Império Romano (e do nosso, também), Jesus instrui seus discípulos conforme a nova realidade do reino de Deus. Uma vez que o reino de Cristo não é deste mundo (Jo 18.36), a atitude esperada de seus seguidores é a busca do bem do outro, antes que do próprio bem. Em vez de subjugar os demais, o grande na comunidade de discípulos é aquele que serve como um mordomo ou garçom (Mc 10.43), posição tida em baixa estima pelos gregos, que valorizavam o desenvolvimento da personalidade própria.

Jesus, porém, não se contenta em exemplificar a atitude altruísta de seus discípulos com a de um mordomo, mas vai além, e diz que o primeiro deveria ser "escravo de todos" (Mc 10.44). Um *diakonos* ("mordomo") desfrutava de certa liberdade, mas um *doulos* ("escravo") não tinha liberdade alguma, estava totalmente entregue a seu senhor para realizar a vontade dele. Portanto, o Mestre revela que a busca dos que fazem parte da nova comunidade não deve ser o poder, a glória ou o reconhecimento, mas o desejo sincero de amar os outros e servi-los, visando, antes de tudo, o benefício do próximo.

É interessante notar que Jesus não apenas diz como seus discípulos deveriam ou não deveriam ser, mas também apresenta o fundamento para a atitude humilde. A base de nossa busca pelo serviço aos outros está na própria vida e exemplo de Jesus: "Pois o próprio Filho do Homem não veio para ser servido, mas para servir e dar a sua vida em resgate por muitos" (Mc 10.45). O próprio Deus se tornou ser humano como nós, mas não para ser servido, como era direito seu; antes, veio para nos servir e nos beneficiar, entregando sua vida para que pudéssemos alcançar a liberdade de nossa escravidão do pecado.

Cristo é o exemplo supremo de entrega e serviço altruísta. Como nosso Senhor e Mestre, sua vida e seu sacrifício na cruz devem nos impulsionar a segui-lo, abrindo mão de direitos e interesses próprios, a fim de beneficiar o maior número de pessoas possível. É porque ele morreu em nosso lugar, garantindo a justificação de nossos pecados, que somos motivados a dar a vida em favor de outros. Não servimos para alcançar algo da parte de Deus, mas sim porque Jesus já nos garantiu o favor e a aceitação dele em seu sacrifício na cruz.

Nas palavras de Dietrich Bonhoeffer:

> Jesus morreu na cruz sozinho, abandonado por seus discípulos. A seu lado pendiam não dois de seus seguidores, mas dois criminosos. No entanto, ao pé da cruz encontravam-se todos, inimigos e crentes, céticos e medrosos, zombadores e convictos, e todos eles, com seus pecados, estavam incluídos na oração de perdão elevada aos céus por Jesus naquela hora. O amor misericordioso de Deus vive em meio aos seus inimigos. É o mesmo Jesus Cristo que, por graça, nos chama a ser seus discípulos e cuja graça salva o assassino na cruz na hora derradeira.[2]

A nova perspectiva da comunidade do reino tem de guiar a maneira como refletimos sobre o ministério e o desenvolvemos. Nosso trabalho ministerial não deve ter como alvo poder ou reconhecimento, nem mesmo aquilo que nos trará mais ganhos financeiros. Precisamos servir com o olhar no Mestre, abrindo mão daquilo que nos é mais cômodo e deixando-nos gastar por aqueles a quem ministramos, sem nos preocuparmos com o retorno de fama que o ministério nos trará. Se desejamos que as pessoas conheçam e amem o Jesus que proclamamos e de quem testemunhamos, elas terão de ver em nós gente que assume a "mesma atitude de Cristo Jesus" (Fp 2.5), que "se esvazia" e "assume a forma de servo", disposta a assumir até mesmo a cruz, aquela condição de vergonha e dor, se necessário for, para cumprir a missão que o Pai nos confiou.

Um anúncio apareceu em um jornal de Londres: "Procura-se homens para uma jornada perigosa, salários baixos, frio intenso, longos meses de completa escuridão, perigo constante e um retorno em segurança duvidoso. Honra e reconhecimento em caso de sucesso". O anúncio foi assinado por Sir Ernest Shackleton, famoso explorador da Antártida. Milhares responderam instantaneamente à chamada. Eles estavam prontos para sacrificar tudo pela alegria da aventura e pela honra incerta. Os discípulos de Cristo também receberam um chamado de seu Mestre: "Se alguém quer ser meu seguidor, negue a si mesmo, tome sua cruz e siga-me" (Mt 16.24). Diferentemente do chamado de Shackleton, sabemos que a alegria e a recompensas são certas no chamado de Jesus, pois quem se dispõe a segui-lo em um discipulado comprometido e radical, certamente encontrará vida plena e eterna (Mt 16.25; Jo 10.10).

4

Traição ou devoção? Eis a questão!

Davi foi um homem que experimentou momentos extremamente antagônicos em sua vida. Na juventude vivenciou lealdade que poucos na história conheceram. Jônatas, filho de Saul, ajudou Davi a fugir de seu pai, quando este buscava matá-lo, e se dispôs a abrir mão do trono de Israel, reconhecendo a escolha divina de Davi como futuro rei da nação: "Jônatas, o filho de Saul, foi encontrar Davi e o animou a permanecer firme em Deus. 'Não tenha medo!', disse Jônatas. 'Meu pai jamais o encontrará! Você será o rei de Israel, e eu serei o segundo no comando, como meu pai, Saul, sabe muito bem'" (1Sm 23.16-17). Jônatas amava Davi e lhe era leal a ponto de abdicar da luta pelo trono para apoiar a liderança de seu amigo.

Anos mais tarde, quando Davi já era um rei maduro, ele de igual modo vivenciou traição que poucos na história conheceram: seu próprio filho usou de mentira e deslealdade para cativar o coração da nação, a fim de tomar o lugar de seu pai no trono de Israel (2Sm 15—18).

Dois momentos antagônicos, um expressando lealdade profunda, o outro uma traição demoníaca e dilaceradora. Quando nos encontramos em Marcos 14.1-11, vemos dois quadros semelhantes. Agora, porém, Jesus, o Filho de Davi, é quem os experimenta de uma forma que pessoa alguma experimentou na história.

Faltavam dois dias para a Páscoa e para a Festa dos Pães sem Fermento. Os principais sacerdotes e mestres da lei ainda procuravam uma oportunidade de prender Jesus em segredo e matá-lo. "Mas não durante a festa da Páscoa, para não haver tumulto entre o povo", concordaram entre eles.

Enquanto isso, Jesus estava em Betânia, na casa de Simão, o leproso. Quando ele estava à mesa, uma mulher entrou com um frasco de alabastro contendo um perfume caro, feito de essência de nardo. Ela quebrou o frasco e derramou o perfume sobre a cabeça dele.

Alguns dos que estavam à mesa ficaram indignados. "Por que desperdiçar um perfume tão caro?", perguntaram. "Poderia ter sido vendido por trezentas moedas de prata, e o dinheiro, dado aos pobres!" E repreenderam a mulher severamente.

Jesus, porém, disse: "Deixem-na em paz. Por que a criticam por ter feito algo tão bom para mim? Vocês sempre terão os pobres em seu meio e poderão ajudá-los sempre que desejarem, mas nem sempre terão a mim. Ela fez o que podia e ungiu meu corpo de antemão para o sepultamento. Eu lhes digo a verdade: onde quer que as boas-novas sejam anunciadas pelo mundo, o que esta mulher fez será contado, e dela se lembrarão".

Então Judas Iscariotes, um dos Doze, foi aos principais sacerdotes para combinar de lhes entregar Jesus. Quando souberam por que ele tinha vindo, ficaram muito satisfeitos e lhe prometeram dinheiro. Então ele começou a procurar uma oportunidade para trair Jesus.

Engano e injustiça na oposição a Cristo

Quando criança, era comum eu contar os dias que faltavam para a chegada do Natal. Ansiava por esse tempo de festa e encontro familiar, e quanto mais se aproximava o Natal, mais empolgantes os dias se tornavam. O texto de Marcos 14 começa com uma contagem regressiva para a festa mais importante dos judeus, a Páscoa: "Faltavam dois dias para a Páscoa e para a Festa dos Pães sem Fermento". A narrativa ocorre, então, na quarta-feira da Semana da

Paixão, pouco mais de um dia antes de Jesus ser preso pelas autoridades judaicas. Nesse momento, os escribas e os principais sacerdotes se reuniram para tramar contra Jesus, a fim de matá-lo.

Quase na véspera da Páscoa, a liderança religiosa dos judeus ainda não tinha um plano definido sobre como prenderiam e executariam Jesus. Em Marcos 11.18, eles buscam um modo de *matá-lo*; já em 12.12, um modo de *prendê-lo*; mas aqui os dois verbos aparecem juntos: "procuravam uma oportunidade de *prender* Jesus [...] e *matá-lo*" (14.1). O surpreendente é que eles não tinham sequer controle sobre os próprios planos. Haviam decidido não prender Jesus nem matá-lo durante a Festa da Páscoa e dos Pães sem Fermento, com medo da reação do povo (14.2), mas foi exatamente isso o que fizeram, porque, depois dessa discussão, Judas aparece com a proposta de entregar seu Mestre (14.10-11).

A razão para não prender Jesus nesse momento é apresentada como o temor de que o povo pudesse realizar alguma revolta, já que o momento da Festa da Páscoa era propício para isso. Nessa época, a cidade tornava-se caótica, pois sua população mais que dobrava e Jerusalém ficava repleta dos sons e cheiros dos peregrinos e seus animais.[1] Havia ainda a esperança de que o Messias viria para salvar o povo de Deus do poder de Roma na noite de Páscoa, assim como libertara Israel do poder egípcio naquela noite. Flávio Josefo conta que os judeus estavam predispostos a revoltas durante suas festas.[2] O texto de Lucas nos informa que havia uma expectativa no ar de que "o reino de Deus começaria de imediato" (Lc 19.11).

Os líderes judeus queriam evitar um banho de sangue terrível que poderia ocorrer em caso de uma revolta popular esmagada pelos romanos. Por isso, seus planos foram: "Não na Páscoa". Nos planos de Deus, porém, era essencial que a morte de Jesus ocorresse na Páscoa, para que ela alcançasse seu novo e mais profundo significado: "Cristo, nosso Cordeiro pascal, foi sacrificado" (1Co 5.7). Sim, Jesus é "o Cordeiro de Deus, que tira o pecado do mundo" (Jo 1.29). Os principais sacerdotes e mestres da lei podem atribuir sua incapacidade de adiar a prisão de Jesus ao acaso, mas o leitor sabe que o poder divino está trabalhando por trás das cortinas da história. Os líderes judeus podem pensar que estão no controle, mas é a vontade de Deus, não a deles, que está sendo cumprida.

A morte de Jesus na Páscoa revela o caráter soberano de Deus quanto ao momento de sua morte, como indicam vários textos no Novo Testamento:

Pois *foi determinado* que o Filho do Homem deve morrer. Mas que aflição espera aquele que o trair!

Lucas 22.22; ver Mc 14.21

"Os reis da terra se prepararam para guerrear; os governantes se uniram contra o Senhor e contra seu Cristo."

De fato, isso aconteceu aqui, nesta cidade, pois Herodes Antipas, o governador Pôncio Pilatos, os gentios e o povo de Israel se uniram contra Jesus, teu santo Servo, a quem ungiste. *Tudo que fizeram, porém, havia sido decidido de antemão pela tua vontade.*

Atos 4.26-28

Um detalhe que também chama a atenção na passagem de Marcos 14 é o ato extremo daqueles que se opõem a Jesus. Eles querem matá-lo, não podem mais suportá-lo. O ensino de Jesus parece ser mais poderoso que o deles, de modo que somente tirando a sua vida são capazes de fazê-lo calar (ao menos era o que pensavam). Parecem aquele garoto mimado que, ao começar a perder o jogo, pega sua bola, diz que não jogará mais e vai embora.

Esses opositores usam de fraude e engano para alcançar seus objetivos. A expressão grega é mais bem traduzida por "e os sacerdotes e escribas procuravam *uma forma dolosa* de o prenderem, para matá-lo". Essa expressão — traduzida por "erro" (NVI), "em segredo" (NVT) ou "traição" (RA) — aparece em outros textos do Novo Testamento, indicando alguém que age com malícia e engano para atingir seus fins egoístas:

> Mas, se opunha a eles Elimas, o mágico [...] procurando afastar da fé o procônsul. Todavia, Saulo [...] disse: Ó filho do diabo, cheio de todo o *engano* e de toda a malícia, inimigo de toda a justiça, não cessarás de perverter os retos caminhos do Senhor?
>
> Atos 13.10, RA

> Pois seja assim, eu não vos fui pesado; porém, sendo astuto, vos prendi *com dolo*. Porventura, vos explorei por intermédio de algum daqueles que vos enviei?
>
> 2Coríntios 12.16-17, RA

A liderança judaica não tinha como incriminar Jesus, por isso usou meios escusos para atingir seus propósitos. Aqueles que se opõem a Cristo e a seus seguidores geralmente usarão da mentira ou de meios injustos para prejudicá-los.

Não raro, reportagens da missão Portas Abertas relatam histórias de cristãos que foram presos por acusações injustas ou falsas, criadas contra eles pelo fato de confessarem sua fé em Cristo. Em abril de 2021, oito cristãos foram detidos no Irã e submetidos a aulas de "reeducação" para retornar ao islamismo e negar Jesus. Passaram oito meses na prisão sob a acusação de fazerem "propaganda contra a República Islâmica do Irã". Depois desse tempo todo, o promotor do caso entendeu que o "crime" cometido por eles era na realidade a conversão a uma religião diferente do islamismo, o que não é criminalizado pelas leis do país, e foram soltos.[3]

Seguir Jesus implica, muitas vezes, perseguição e pode nos custar a liberdade e até mesmo a vida. Embora em países livres como o Brasil talvez não sejamos presos por confessar Jesus, estamos sujeitos a perseguições veladas nas mais diferentes esferas da vida. O apóstolo João nos alertou sobre essa realidade: "Não sejamos como Caim, que pertencia ao maligno e assassinou seu irmão. E por que o assassinou? Porque Caim praticava o mal, e seu irmão praticava a justiça. *Portanto, meus irmãos, não se surpreendam se o mundo os odiar*" (1Jo 3.12-13).

Talvez você sofra oposição injusta por não fazer parte de esquemas errados e que envergonham o nome de Cristo. Chefes e colegas de trabalho podem criar mentiras a seu respeito, fazer-lhe cobranças que jamais fariam a outros ou menosprezá-lo diante de outras pessoas. Contudo, isso não deveria nos surpreender, pois o mesmo ocorreu com nosso Senhor e ele previu que passaríamos por isso: "O mundo os amaria se pertencessem a ele, mas vocês já não fazem parte do mundo. Eu os escolhi para que não mais pertençam ao mundo, e por isso o mundo os odeia. Vocês se lembram do que eu lhes disse: 'O escravo não é maior que o seu senhor'? Uma vez que eles me perseguiram, também os perseguirão" (Jo 15.19-20a). A marca de um verdadeiro cristão é a oposição muitas vezes injusta daqueles que não conhecem a Cristo.

Alguns de nós sofrerão oposição por se posicionar diante de conversas maliciosas contra terceiros ou quem sabe seremos criticados por não mentirmos como pessoas a nosso redor costumam fazer. Lembro-me de uma irmã em Cristo que trabalhava em uma empresa de venda de celular e foi pressionada em seu contexto profissional a mentir para os clientes ao dizer que o frete era dividido de modo igual entre a empresa e o comprador, quando, na verdade, o comprador era quem pagava a parte maior. De forma corajosa, ela se negou a contar essa mentira, apesar da crítica de colegas e chefes, e Deus esteve com ela, capacitando-a a realizar bem seu trabalho sem precisar recorrer à mentira. Falar a verdade em momentos imprescindíveis talvez nos custe caro, mas envolve seguir aquele que é a verdade que nos liberta (Jo 8.31-32).

Você se sente cansado com a oposição no trabalho, na família ou na escola devido à sua fé em Cristo? Lembre-se que "Cristo sofreu por vocês. Ele é seu exemplo; sigam seus passos. [...] Não revidou quando foi insultado, nem ameaçou se vingar quando sofreu, mas deixou seu caso nas mãos de Deus, que sempre julga com justiça" (1Pe 2.21-23).

No século 2 d.C., um cristão foi retratado em uma pedra da Colina Palatina, em Roma, adorando um burro pregado numa cruz. Junto ao desenho, havia uma inscrição que dizia: "Alexamenos adora seu deus". Seguir a Cristo era "loucura" para a cultura greco-romana (1Co 1.23), que jamais via a humildade como uma virtude e que repelia a ideia de um salvador crucificado.[4] Mas essa rejeição do Cristo crucificado também é uma realidade para muitas pessoas de nossos dias. Por isso, devemos esperar o desprezo, a ridicularização, as difamações daqueles que nos cercam por seguirmos a Cristo.

Você está preparado para ser um mensageiro da cruz? O compromisso com a cruz é a disposição de experimentar o desprezo daqueles que a consideram loucura.

A devoção total a Cristo envolve a entrega do que temos de maior valor

Depois de apresentar a cena da reunião de religiosos e suas maquinações assassinas, agora Marcos passa a descrever um quadro completamente diferente. Jesus está tranquilo, participando de um banquete na casa de um homem chamado Simão, que havia sido leproso. Parece que esse homem ainda está vivo e talvez tenha sido curado pelo próprio Jesus. É possível que a festa seja um sinal de gratidão ao Senhor.

Uma mulher, cujo nome não é revelado no texto — mas que João diz ser Maria, irmã de Lázaro (Jo 12.3)[5] — surge em cena. Ela traz consigo um frasco de alabastro, um recipiente de pedra fina, com um gargalo comprido, que era quebrado à medida que se derramava o perfume contido no frasco. O perfume vem de longe, extraído do nardo, uma planta da Índia. O conteúdo é genuíno, não é uma falsificação contrabandeada, como a de muitos produtos que encontramos nos grandes centros de capitais brasileiras. Por isso, seu valor é altíssimo, mais de trezentos denários, dinheiro suficiente para pagar um trabalhador braçal por quase um ano inteiro (ver Mt 20.2). De acordo com Marcos 6.37, duzentos denários (cem a menos do que o valor do perfume) seria o suficiente para alimentar mais de cinco mil pessoas!

Aquela mulher, então, derrama todo o conteúdo caro e muito valioso sobre a cabeça de Jesus. Era comum um hospedeiro judeu ungir a cabeça de um visitante em sinal de honra com algumas gotas de óleo aromático (Sl 23.5; Lc 7.46), porém Maria vai além e derrama todo o conteúdo precioso de uma só vez. Em geral, as mulheres eram excluídas de carreiras com salários altos que possibilitariam adquirir objetos de valor elevado como o perfume. O nardo era muito provavelmente uma herança de família, e nesse caso possuía um valor sentimental além do valor monetário.[6] Marcos relata que ela não derramou o perfume, mas quebrou o próprio frasco, o que significa que este nunca mais poderia ser usado, representando assim a totalidade do presente. Isso revela o quanto Jesus era estimado e amado por ela. Sua devoção ao Mestre é maior do que qualquer objeto de valor que ela possuísse.

Curiosamente, a reação dos que estavam presentes é de indignação e total insensibilidade para com aquele ato de devoção. Mateus nos informa que a crítica vinha dos discípulos (Mt 26.8; ver Jo 12.4-5), o que nos assusta ainda mais. Achavam aquilo um tremendo desperdício de dinheiro. A doação de dinheiro aos pobres vem à memória dos Doze, porque era costume judaico fazer doações aos pobres durante a noite da Páscoa que se aproximava. O tom da reprovação deles é duro e áspero.

O Senhor reage em defesa da mulher. Agora é Jesus quem repreende seus discípulos: "Deixem-na! Por que atormentá-la!?" (Mc 14.6, tradução do autor). A oportunidade de ajudar os pobres não faltaria aos discípulos, e o Mestre esperava isso deles (Lc 4.18; 6.20; Jo 13.29; Dt 15.11). Mas aquela mulher também estava praticando um ato de misericórdia da perspectiva judaica, isto é, preparando, de forma antecipada e digna, Jesus para o seu sepultamento (Mc 8.31; 9.31-32). Na lógica rabínica, a esmola era considerada menos digna de louvor do que enterrar os mortos, porque a primeira era feita aos vivos, enquanto a segunda se direcionava aos mortos. A esmola podia ser feita a qualquer momento; preparar um corpo para o enterro tinha de ser feito quando surgisse a necessidade.[7] "Ela não desperdiçou seu perfume nem seu esforço."[8]

Provavelmente, Maria não tinha consciência de todas as implicações do que estava fazendo, mas demonstrou uma sensibilidade a Jesus muito mais elevada do que qualquer membro dos Doze, já que eles resistiram à ideia de um Messias desprezado e morto e nunca a entenderam (Mc 8.31-32). Não era raro brigarem por quem era o maior (10.33-37) ou por um lugar de honra no reino glorioso do Cristo (10.35-45).

Assim como elogiou a pobre viúva (Mc 12.41-42), Jesus reconhece o amor dessa outra mulher em uma declaração solene e anuncia a seus discípulos que, onde quer que as boas-novas da salvação fossem pregadas, a lembrança daquele ato de amor e devoção (ver 10.17-31) seria compartilhada e proclamada. Isso ressalta a vitória da Páscoa. O sepultamento não engoliria o poder e o sentido do ministério de Cristo, pois ele ressuscitaria, e as boas-novas desse maravilhoso fato seriam anunciadas.

O exemplo de devoção dessa mulher a Jesus nos constrange. O texto nos ensina que nada em nossa vida pode competir com nosso amor e devoção a Cristo. Nada pode ser mais valioso ou mais importante do que ele. Por isso, precisamos nos perguntar que lugar o nosso relacionamento com o Senhor ocupa em nossa vida. Estamos dispostos a derramar o que temos de mais valioso diante dele? Há algo de que não queremos abrir mão por amor a ele ou a que temos dado mais importância do que a ele? Se o Senhor Jesus tirasse de perto de você um amigo ou um familiar querido, você continuaria amando Cristo e expressando a mesma devoção a ele, reconhecendo que o amor do Senhor é suficiente para lhe dar sentido e alegria?

O envio dos dois primeiros missionários da comunidade Herrnhut (iniciada pelo Conde Zinzendorf e que se tornou, posteriormente, parte da

Igreja Morávia) ilustra bem esse amor totalmente devotado a Jesus. Johann Leonhard Dober e David Nitschmann eram ainda jovens quando foram enviados ao campo. Eles tinham o desejo de pregar o evangelho para os escravos africanos que trabalhavam nas Ilhas de Saint Thomas e Saint Croix, nas Índias Ocidentais. Com esse propósito, venderam-se como escravos para um britânico que tinha entre 2 mil e 3 mil servos trabalhando para ele. Quando embarcaram no navio em Copenhague para navegar para as Índias Ocidentais, correndo o grande risco de nunca mais voltar,[9] eles levantaram as mãos como se em juramento sagrado e gritaram a seus familiares e amigos que se despediam deles em terra: "Que o Cordeiro que foi morto receba a plena recompensa de seu sofrimento".

Esses dois jovens estavam dispostos a entregar a Cristo mais do que um precioso frasco de perfume. Eles entregaram a própria vida como escravos para que o Cordeiro de Deus recebesse a adoração de milhares de vidas do continente africano que eram vítimas de exploração e viviam em trevas. Os dois missionários enfrentaram forte oposição, mas tiveram êxito e batizaram 13 mil convertidos antes que outros missionários chegassem ali.[10] Eles iniciaram um movimento dentro da comunidade morávia que envolveu o envio de trezentos missionários para diversos povos não alcançados daquela época.

O que Cristo lhe pede para derramar diante dele, a fim de que ele seja a pessoa mais importante e preciosa em sua vida? Talvez seja seu conforto e tranquilidade, a fim de ir na direção daqueles que estão confusos e proclamar a esperança do evangelho de Cristo. Talvez você precise entregar a Cristo os amigos que ocupam um lugar de grande valor em sua vida, ou o seu trabalho e a estima que ele lhe traz. Quem sabe há algum bem que você tem, o carro ou a casa, cuja importância supera suas afeições por Cristo. Jesus quer ser o número um de nosso coração. O rei a quem nos submetemos. O Deus a quem adoramos. "Vamos ungir Cristo como [...] nosso Soberano, beijá-lo com um beijo de fidelidade. Ele derramou sua alma até a morte por nós. Será que um frasco de perfume é precioso demais para derramar sobre ele?"[11]

A crítica dos que estavam à mesa com Jesus contra o ato de derramar perfume caríssimo sobre a cabeça do Senhor nos lembra algo muito importante: o mundo nunca se incomodou com uma devoção moderada a Jesus. Ele também não se incomoda com excesso de poder, sexo, riqueza ou influência.[12] Mas se tem algo que deixa o mundo impaciente é uma devoção total a Cristo, um compromisso sem reservas com aquele que é digno de ser chamado Senhor de nossa vida. O contraste com a traição de Judas logo após a cena do banquete (Mc 14.10-11) realça essa verdade. A devoção condicional de Judas a Jesus o levou a vender seu Mestre por uma quantia elevada de dinheiro, algo bem recebido pelas autoridades judaicas da época. A devoção total da discípula anônima implicou a entrega a Jesus do que ela possuía de mais valioso.

A deslealdade a Cristo e a associação com os poderes deste mundo

Em contraste com a gloriosa cena do amor imensurável da mulher por Jesus, deparamos com o quadro sombrio da traição de Judas. Enquanto ela "veio" para ungir Jesus, Judas "foi" com o objetivo de traí-lo e entregá-lo. Enquanto ela gastou tudo o que tinha para honrar seu Senhor, Judas embolsou dinheiro para entregá-lo. Judas procura a "oportunidade" apropriada para trair Jesus (Mc 14.11), e sua traição jamais será esquecida. Ele se dispõe a sacrificar Jesus para obter recompensas materiais. A mulher, em contrapartida, aproveita uma oportunidade para mostrar amor a Jesus. Seu ato também jamais será esquecido.[13]

O texto não nos diz o que motivou Judas a trair o seu Mestre, mas pela ordem temática da estrutura do texto a impressão forte que temos é de que Judas se decepcionou com os anúncios de sofrimento de Jesus. Os discípulos, várias vezes, ficaram sem entender esse discurso do Mestre, e, na pessoa de Judas, essa insensibilidade chega ao extremo da traição. Jesus denunciou a ação de Satanás por trás da insensibilidade espiritual de Pedro diante de seu sofrimento (Mc 8.33), e os Evangelhos nos dizem que isso também ocorreu na traição de Judas, mas de uma forma que não teve retorno (Jo 13.2,27; Lc 22.3).

"Então Judas Iscariotes, um dos Doze, *foi...*" (Mc 14.10). A saída de Judas do meio dos Doze não era apenas um deslocamento geográfico, mas seu atestado de deslealdade e de que não era, na realidade, um deles. O traidor propõe entregar o Senhor aos líderes religiosos da nação. Isso alegra muito os principais sacerdotes, pois poderiam prender Jesus sem a presença da multidão (4.2; ver Lc 22.6), e prometem lhe dar dinheiro em troca de sua "boa ação". A preocupação dos líderes judaicos — *procuravam como...*" (14.1) — passa ser a de Judas: "começou a *procurar* uma oportunidade para trair Jesus" (14.11). A traição dele não é uma surpresa para o próprio Senhor Jesus, que já havia previsto sua entrega às autoridades de Jerusalém (9.31; 10.33) e que veio para dar a vida em resgate de muitos (10.45). Como observou Gregório de Nazianzo: "Ele é vendido, e o preço foi barato: trinta moedas de prata; no entanto, ele compra de volta o mundo ao alto custo de seu próprio sangue. Como ovelha, ele é levado ao matadouro; contudo, ele pastoreia Israel e agora o mundo inteiro também".[14]

O evangelho representa um chamado à decisão, e a estrutura de Marcos 14.1-11 enfatiza o contraste dos planos malévolos de Judas (14.10-11) e dos líderes religiosos (14.1-2) com o amor e a devoção total da discípula anônima (14.3-9). Enquanto ela age por amor sacrificial a Jesus, os líderes religiosos e Judas agem por interesse próprio, procurando destruir aquele que consideram ser uma ameaça à sua autoridade ou a frustração de uma expectativa messiânica. Ela age com humildade; eles demonstram orgulho. Ela tem a mentalidade do reino; eles estão construindo seus próprios impérios pessoais.[15]

Quando não estamos completamente comprometidos com o Senhor Jesus, nossas atitudes muitas vezes expressarão deslealdade a ele. Ele mesmo já tinha dito que não podemos servir a dois senhores: ou vamos amar um e odiar o outro, ou vamos nos devotar a um e desprezar o outro (Mt 6.24). Tiago também nos ensina que não podemos ser amigos de Deus e do mundo ao mesmo tempo, pois acabaremos nos tornando adúlteros espirituais (Tg 4.4).

Judas estava preocupado com a glória deste mundo e com o dinheiro. Ele rejeitou o caminho do sofrimento e da vergonha. Será que também não agimos assim? Queremos um emprego que nos traga glória e dinheiro, sonhamos com títulos que podemos obter, corremos atrás de estabilidade financeira, da popularidade diante dos amigos da escola, da roupa de marca ou do corpo desejável. Queremos estar do lado de quem parece ter o poder ou de quem é capaz de dar o dinheiro que desejamos obter. Consequentemente, nossa lealdade a Cristo é posta em xeque.

Quanto tempo desta semana você gastou olhando para o espelho ou preocupado com sua aparência comparado com o tempo que investiu em sua vida devocional? Quanto tempo gastou arquitetando seus sonhos de um emprego melhor ou pensando nos louvores que recebeu no trabalho comparado com o tempo que investiu em oração? Quantas horas gastou no Twitter ou no Instagram comparado com o tempo de leitura de bons livros ou de comunhão com seus irmãos na igreja e de aprendizado das Escrituras? O que ocupa mais o seu tempo: os seus interesses ou os interesses de Cristo?

O texto de Marcos 14.3-11 estabelece um contraste entre dois retratos: o do discípulo traidor que entrega Jesus por dinheiro e o da discípula anônima que entrega a Jesus o que tinha de mais valioso. Qual é o seu retrato? Você está disposto a dedicar o que tem de mais importante a Cristo? Deseja fazer de Cristo seu amor supremo e proclamá-lo àqueles que ainda não o conhecem? Ou não se importaria em vender sua lealdade a ele, desde que consiga a alegria que o mundo lhe oferece?

Traição ou devoção? Eis a questão!

5

Orando em um jardim

Todos nós vivemos rotinas corridas, quer nos estudos, quer no trabalho, quer no ministério. Parece que o tempo está sempre contra nós, exigindo um ativismo intenso e a realização de algo novo, deixando pouco espaço para colocar os afazeres do dia a dia diante de Deus. No livro *Oração: ela faz alguma diferença?*, Philip Yancey menciona que, em uma pesquisa sobre oração feita com 673 pessoas na internet, apenas 23 delas disseram que se sentiam satisfeitas com o tempo que passavam em oração (menos de 5% do total da enquete). Questionadas se sentiam a presença de Deus na oração, a maioria das pessoas respondeu: "Às vezes, não com frequência".[1] A grande verdade é que a oração é fator determinante para nosso crescimento espiritual. Como escreveu John Stott, a oração "é um dos meios mais eficazes da graça. Duvido que alguém tenha se tornado parecido com Cristo sem ter se dedicado de forma diligente à oração".[2]

O Evangelho de Marcos nos convida a observar o Deus-homem, Jesus Cristo, cuja vida de oração foi intensa, constante, real e significativa. A oração era a atmosfera habitual da vida de Jesus. Nosso Senhor orava em todos os momentos de sua vida. Por vezes se retirava para isso, e por vezes orava diante da multidão presente. Podemos tirar lições da vida de oração de Jesus observando Marcos 14.32-42, o final de seu ministério terreno, quando estava no Jardim do Getsêmani, prestes a ser crucificado pela multidão.

Então foram a um lugar chamado Getsêmani, e Jesus disse a seus discípulos: "Sentem-se aqui enquanto vou orar". Levou consigo Pedro, Tiago e João e começou a sentir grande pavor e angústia. "Minha alma está profundamente triste, a ponto de morrer", disse ele. "Fiquem aqui e vigiem."

Ele avançou um pouco e curvou-se até o chão. Então orou para que, se possível, a hora que o esperava fosse afastada dele. E clamou: "Aba, Pai, tudo é possível para ti. Peço que afastes de mim este cálice. Contudo, que seja feita a tua vontade, e não a minha".

Depois, voltou aos discípulos e os encontrou dormindo. "Simão, você está dormindo?", disse ele a Pedro. "Não pode vigiar comigo nem por uma hora?

Vigiem e orem para que não cedam à tentação, pois o espírito está disposto, mas a carne é fraca."

Então os deixou novamente e fez a mesma oração de antes. Quando voltou pela segunda vez, mais uma vez encontrou os discípulos dormindo, pois não conseguiam manter os olhos abertos. Eles não sabiam o que dizer.

Ao voltar pela terceira vez, disse: "Vocês ainda dormem e descansam? Basta; chegou a hora. O Filho do Homem está para ser entregue nas mãos de pecadores. Levantem-se e vamos. Meu traidor chegou".

A oração como refúgio em meio às provas da vida

Depois do anúncio autossuficiente de Pedro e dos discípulos, em Marcos 14.29-31, de que seguiriam Jesus e seriam leais a ele a qualquer custo, o Evangelista nos encaminha para uma cena que contrasta a dependência e entrega de Jesus ao Pai com a negligência espiritual de três discípulos, que representam os demais. A "hora" de ser traído, entregue às autoridades judaicas e romanas e, finalmente, morto estava cada vez mais próxima. Nesse contexto de angústia e confusão, o Mestre nos oferece um testemunho e ensino da dependência do Pai e de autoentrega a ele.

O Getsêmani era um jardim que Jesus e seus discípulos costumavam frequentar (Lc 22.39; Jo 18.2). Ficava dentro dos limites da cidade de Jerusalém e, portanto, não havia problema algum em que "fossem" para lá na noite da Páscoa.[3] Dirigindo-se aos Doze, o Mestre pede que seus discípulos se assentem e o aguardem enquanto ele teria um tempo de conversa com o Pai (Mc 14.32).

Então, Jesus leva consigo três discípulos, que já haviam participado de momentos muito especiais em sua vida e ministério. Pedro, Tiago e João haviam estado presentes quando Cristo ressuscitou a filha de Jairo (Mc 5.37-40) e quando revelou sua glória no Monte da Transfiguração (9.2-13). Aliás, há um contraste significativo entre os eventos do Monte da Transfiguração e os do Jardim do Getsêmani. No primeiro, Jesus havia demonstrado de forma gloriosa sua majestade divina. No Getsêmani, ele começa a se sentir apavorado e angustiado com a proximidade da morte e deixa evidente sua fragilidade e angústia humanas.

A angústia de Jesus é expressa com muita força no versículo 34: "Minha alma está profundamente triste, a ponto de morrer". O sofrimento interno era intenso, quase a ponto de esgotar suas forças e tirar sua vida. As expressões gregas "profundamente triste" e "alma" aparecem juntas, curiosamente, na tradução grega de Salmos 42.5,11 e 43.5, quando o fiel, rodeado e ridicularizado por inimigos e à beira da derrota diante deles, pergunta a si mesmo: "Por que você está *profundamente triste*, ó minha *alma*? Por que te perturbas dentro de mim?". Portanto, o Mestre se sentia com a alma abatida e com inimigos à espreita. E ele faz exatamente o que o salmista aconselha a si mesmo: "espera em Deus".

No meio da mais profunda tristeza e aflição, o Senhor pede a seus três discípulos que permaneçam onde estão e os exorta a "vigiarem", assim como os chamou à vigilância no capítulo 13 (Mc 13.34,35,37). A ideia aqui é de prontidão e alerta para fazerem a vontade de Deus e não serem pegos de surpresa e falharem diante da hora sombria que estava prestes a chegar.

Jesus segue adiante e fica a sós com o Pai. Seu pedido a Deus não é um ato de rebeldia, mas a expressão de angústia profunda de alguém que estava prestes a tomar sobre os ombros o pecado de toda a humanidade e experimentar a ira de Deus derramada sobre a cruz. Quem gostaria de passar por um momento assim? Ninguém. Por isso Jesus, o Deus-homem, pede ao Pai que, se possível, o poupasse daquele momento. Isso não era um ato de revolta do Filho, mas a confiança de que "tudo era possível" ao Pai.

Cristo chama Deus de *Aba*, "Papai", termo aramaico usado no contexto familiar e de intimidade, com o qual a criança se acostumava desde bem pequena, utilizando-o até a idade adulta. Um judeu jamais usaria tal termo para falar com Deus diretamente. Mas Jesus, como o Filho de Deus, podia se dirigir assim em suas orações, e essa mesma intimidade com o Criador ele conferiu a seus discípulos (Rm 8.15; Gl 4.6).[4] Vemos outro paralelo com o Monte da Transfiguração. Enquanto lá os discípulos presenciaram a declaração de Deus de que Jesus era o seu "Filho amado", aqui, no Getsêmani, ouvem a declaração do Filho a Deus: "Aba!".

Apesar de lutar internamente contra aquele momento terrível, Jesus mostra ser um Filho obediente, que se entrega à vontade do Pai antes que a seus temores ou desejos. Com suas lutas e angústias, Jesus se submete ao Pai, sabendo que isso o glorificaria (Jo 17.4) e traria salvação e redenção para a humanidade (Mc 10.45). O cálice a ser tomado certamente era o cálice da morte na cruz (10.38-39; 14.23-24), e a hora a ser enfrentada envolvia todo o processo de entrega, julgamento, condenação e execução realizado por pecadores (14.41).

Essa passagem nos ensina que no mundo teremos aflições (Jo 16.33), assim como nosso Senhor as enfrentou. Mas não existe espaço para o desespero, pois temos um Pai que é "Pai misericordioso e Deus de todo encorajamento" (2Co 1.3). Como Cristo, podemos clamar a nosso "Papai", pois somos filhos adotados pelo Espírito de Deus (Rm 8.15-16). Podemos, até mesmo, expressar diante de nosso amado Pai nossos anseios e medos e pedir a ele consolação e direção. Essa dependência de Deus é extremamente necessária nos momentos de prova.

Jesus não lança mão de uma conversa terapêutica com os três discípulos, a fim de desabafar e encontrar consolo por meio deles. Ele anda na direção do centro do jardim e, a sós com o Pai, busca o consolo e as força necessárias que apenas Deus poderia lhe dar. Os discípulos nem sequer tinham forças para ficar acordados. Quantos de nós têm feito do Pai o nosso refúgio maior? Em quem buscamos consolo e de quem dependemos de ajuda para enfrentar os momentos difíceis e escuros da vida? Colocamos nossa esperança em pessoas ou em alguma mudança da situação? Ou fazemos de Deus nossa alegria e nosso bem maior?

Cremos, realmente, que Deus é um Pai cuidadoso e, assim, podemos lançar sobre ele nossas ansiedades (1Pe 5.7)? Como enfrentamos os momentos difíceis? Colocamos nossa esperança na alegria que nos está proposta como fez Jesus (Hb 12.1-2)? Acreditamos, de fato, que nossos sofrimentos atuais não podem ser comparados com a glória que nos será revelada (Rm 8.18)? Aguardamos a salvação de Deus e levamos nossa alma a consolar-se nesta esperança (Sl 42.5)?

Conta-se a história de um secretário de Oliver Cromwell que foi enviado para o continente europeu para realizar alguns negócios importantes. Ele passou a noite em uma cidade portuária e se agitava de um lado para o outro na cama, incapaz de dormir.

De acordo com um antigo costume, um criado dormia em seu quarto e, nessa ocasião, dormia profundamente. O secretário finalmente acordou o criado, que perguntou como é que seu senhor não conseguia descansar.

— Estou com medo de que algo dê errado na missão que tenho a executar — respondeu.

— Senhor — disse o criado —, posso lhe fazer uma ou duas perguntas?

— Claro!

— Deus governava o mundo antes de nós dois nascermos?

— Sem dúvida!

— E ele continuará governando o mundo depois que morrermos?

— Certamente!

— Então, meu senhor, por que não deixá-lo governar o presente também?

A fé do secretário foi reavivada, houve paz em seu coração e em poucos minutos ele e seu criado estavam dormindo profundamente.[5]

Quais momentos de prova você precisa colocar diante de Deus? Os conflitos na família? A oposição, a traição e a pressão no trabalho? As necessidades materiais? O desprezo de pessoas pelo fato de você seguir a Cristo? Coloque todas essas situações diante de Deus, busque nele as forças para enfrentá-las e a proteção e o cuidado de que você precisa. Derrame-se diante do Pai que se importa com nossas dores e ouve nossas orações.

Em meu terceiro ano no seminário, tive a oportunidade de fazer meu estágio ministerial em uma clínica no sul do Brasil voltada para a recuperação de viciados em drogas e alcoólatras. Ali, conheci as histórias tristes e os dilemas de muitos homens que tiveram a vida arruinada pelo álcool ou drogas. Contudo, esses homens passaram a ouvir o evangelho, e tive a oportunidade de compartilhar com vários deles as boas-novas da salvação em Jesus. Eles aprenderam que Deus estava atento a seus sofrimentos e dificuldades e que podiam confiar em seu cuidado e presença em meio aos dilemas da vida. Uma cena que ficou em minha memória foi a daqueles homens cantando em seus cultos a verdade tão bela: "Bendito seja Deus, que não me rejeita a oração nem afasta de mim a sua graça".

A oração como instrumento de santificação

Quando Jesus volta para encontrar os três discípulos, em lugar de estarem acordados e vigiando, eles ainda dormem. O Mestre, então, se dirige a Pedro, que antes havia garantido permanecer firme com Jesus até a morte, mas na prática logo o negou. Ele não fora capaz de permanecer vigiando "nem por uma hora" (Mc 14.37). A fraqueza de

Pedro e dos discípulos por trás da capa da autos-suficiência começa a aparecer.

Jesus os exorta novamente a vigiarem a fim de orar (Mc 14.38). Aqui fica mais clara a razão pela qual os discípulos deveriam permanecer com os olhos abertos. Eles precisavam fazer isso para buscar a Deus em oração e depender dele para o momento de prova, a fim de não cair em tentação. O corpo deles estava cansado ("a carne é fraca"), mas era necessária uma disposição interior de lutar contra o sono e buscar a ajuda de Deus.[6]

John Bunyan escreveu: "Ore frequentemente, porque a oração é o escudo da alma, um sacrifício a Deus e um açoite para Satanás".[7] Se quisermos crescer em santidade precisamos usar essa arma fundamental, a fim de receber graça para socorro em ocasião oportuna (Hb 4.15-16).

Diferentemente dos três, Jesus é perseverante em oração. Reconhece sua dependência e necessidade do Pai para enfrentar essa "hora". Novamente, derrama o coração diante de Deus, mas se dispõe a obedecer. Quando Jesus volta pela segunda vez, os discípulos mal conseguem abrir os olhos e pronunciar resposta adequada a Jesus, tão grande era seu sono (Mc 14.40). O texto mostra que há uma correspondência inversa entre a autossuficiência e nossa vida de oração. Em contraste com Jesus, os discípulos se achavam tão prontos para aquele momento que não se deram o trabalho de orar e reconhecer sua necessidade de Deus. Na terceira vez que o Mestre volta para junto deles, ainda estão descansando (14.41).

O começo do versículo 41 é bem difícil de compreender e traduzir. A NVT traduz assim: "Vocês *ainda* dormem e descansam?". É uma tradução possível, mas talvez Jesus estivesse dizendo: "Durmam *mais* e descansem!", em uma crítica irônica aos discípulos por sua negligência terrível diante de um perigo assombroso que precisariam enfrentar. "Basta!" é uma tradução provável.[8] Talvez ela indique que o tempo necessário para que a "hora" viesse já havia se esgotado; agora, o traidor aparecia no horizonte com parte dos pecadores que lançariam suas mãos sobre Jesus, a fim de prendê-lo e crucificá-lo.

Os discípulos aparecem como um alerta para nós. Como eles, podemos dormir, em lugar de orar. Escolher o conforto e a comodidade, em vez de nos esforçarmos para buscar a força em Deus. Há várias maneiras de dormir. Pense nos entretenimentos que tomam conta de seu dia a dia e roubam de você os seus momentos a sós com Deus, tornando-o menos dependente dele. Você é alguém que se achega junto ao trono da graça para receber graça e misericórdia, a fim de suportar e vencer a tentação (Hb 4.15-16)? Ou deixa-se levar pelos compromissos e rotina da vida a ponto de ser engolido pela tentação e pelo pecado?

Quantos de nós têm sido fiéis no seu tempo diário de oração? Quantos de nós valorizam a oração comunitária como um meio de graça que Deus usa para nos santificar? Quantos de nós estão atentos para suas áreas mais sensíveis de tentação e buscam lidar com elas, a fim de obter a vitória que é possível por meio da Palavra e do Espírito de Deus (Sl 119.9-11; Gl 5.16-18)?

Você já viu um passarinho dormindo num galho ou num fio, sem cair? Como ele consegue fazer isso? Se nós tentássemos dormir assim, cairíamos e quebraríamos o pescoço. O segredo está nos tendões das pernas do passarinho. Eles são constituídos de uma forma que, quando o joelho está dobrado, o pezinho segura firmemente qualquer coisa. Os pés não soltarão aquela coisa até que ele desdobre o joelho para voar. O joelho dobrado é o que dá ao passarinho a força para segurar qualquer coisa.

Que desenho incrível que o Criador fez para segurar o passarinho! Mas conosco não é tão diferente. Quando o "galho" de nossa vida fica precário, quando tudo está ameaçando cair, a maior segurança, a maior estabilidade nos vem de um joelho dobrado — dobrado em oração.

Precisamos dobrar nossos joelhos como Jesus, em vez de dormir como os discípulos. Nossos sonos podem ser vários: tempo gasto com televisão indevidamente, amizades mundanas que não nos fazem bem, tempo demais que passamos na internet, deixar levar-se por pensamentos inúteis que não vão nos edificar, como preocupação ou julgamentos excessivos. Tudo isso pode consumir nossas energias e atenção e tirar de nós a atenção espiritual e o reconhecimento da dependência de Deus que temos para as batalhas que enfrentamos dia após dia. Não se esqueça de que seu tempo com Deus revela o quanto você realmente depende dele ou de si mesmo.

Conta-se que os primeiros africanos convertidos ao cristianismo eram sinceros e constantes em suas devoções particulares. Segundo relatos, cada um tinha seu lugar específico no meio da mata onde derramava seu coração diante de Deus. Os vários caminhos para esses lugares de comunhão com o Senhor tornavam-se claramente identificáveis, pois os cristãos passavam por essas trilhas diariamente. Quando alguém começava a esmorecer em suas devoções, logo isso ficava evidente para os demais. Então, gentilmente eles lembravam seu irmão: "Querido, a grama em seu caminho para a comunhão com Deus está crescendo".[9]

6

A suficiência de Cristo nas limitações humanas

Não posso deixar de rir ao recordar de uma situação que me ocorreu há cerca de vinte anos. Uma amiga, que estava no terceiro ano do ensino médio, lecionava em um cursinho de vestibular para pessoas carentes. Como eu havia estudado durante dois anos para o vestibular de Escola Técnica, mesmo estando ainda no segundo ano do ensino médio, aceitei o desafio feito por ela de dar aulas de química no mesmo cursinho.

Fiz a entrevista com a coordenadora do curso e fui aceito como docente. O cômico é que, depois de me comprometer com o trabalho, um dia antes da minha primeira aula, comecei a "tremer na base" e sentir bastante medo de enfrentar aquela situação. Disse a meus pais que não daria mais a aula e cheguei à loucura de me esconder debaixo do armário da cozinha, como se isso fosse mudar alguma coisa. Graças a Deus, que usou a firmeza amorosa de meus pais, acabei enfrentando aquela situação e foi uma experiência enriquecedora.

Não é incomum lidarmos com situações como a que descrevi, em que nos sentimos totalmente incapazes de enfrentá-las. Tentamos fugir e evitá--las. Pensamos que fracassaremos e nos frustraremos. Lembro-me de uma amiga que, apesar de sua piedade e preparação num seminário teológico, sempre era perseguida pelo medo de assumir responsabilidades na igreja local. Sentia-se incapaz, inapta e, por fim, ficava paralisada diante da oportunidade de servir. No ministério em geral não é diferente. Sentimo-nos muitas vezes inclinados a clamar com o apóstolo Paulo: "Quem é suficiente para estas coisas?". Talvez sérios problemas conjugais entre casais de sua igreja vieram à tona durante a pandemia, dificuldades técnicas com as transmissões *on-line* não param de surgir, membros parecem acomodados e pouco interessados na situação de sua igreja local, questões administrativas precisam ser mantidas em dia. E nossa reação mental muitas vezes é: "Isso é demais para mim! Não dá!".

No texto de Marcos 6.35-44, encontramos os discípulos de Jesus experimentando esse mesmo sentimento de inadequação diante do desafio proposto pelo Mestre. Mas é justamente nesse momento que experimentam a suficiência de Jesus em suas limitações.

Ao entardecer, os discípulos foram até ele e disseram: "Este lugar é isolado, e já está tarde. Mande as multidões embora, para que possam ir aos campos e povoados vizinhos e comprar algo para comer".

Jesus, porém, disse: "Providenciem vocês mesmos alimento para eles".

"Precisaríamos de muito dinheiro para comprar comida para todo esse povo!", responderam.

"Quantos pães vocês têm?", perguntou ele. "Vão verificar".

Eles voltaram e informaram: "Cinco pães e dois peixes".

Então Jesus ordenou que fizessem a multidão sentar-se em grupos na grama verde. Assim, eles se sentaram em grupos de cinquenta e de cem.

Jesus tomou os cinco pães e os dois peixes, olhou para o céu e os abençoou. Então, à medida que ia partindo os pães, entregava-os aos discípulos para que os distribuíssem ao povo. Também dividiu os peixes para que todos recebessem uma porção. Todos comeram à vontade, e os discípulos recolheram doze cestos com os pães e peixes que sobraram. Os que comeram foram cinco mil homens.

Nossa insuficiência diante das necessidades que nos cercam

Em Marcos 6.30, vemos o retorno dos discípulos a Jesus após a missão que ele lhes encarregara. O Mestre, então, os convida a se retirarem de barco e descansarem um pouco (6.31). Os discípulos prontamente aceitam o convite, mas, depois de viajarem pelo mar da Galileia, descobrem uma grande multidão ansiosa esperando-os no lugar de seu desembarque (6.33-34). Movido por compaixão, Jesus se volta para aquelas pessoas e passa a ensiná-las.

Apesar dessa aparente interrupção dos planos de descansar em um lugar isolado, não podemos esquecer que Jesus está treinando seus discípulos e preparando-os para o ministério. Ele deseja ensiná-los a depender dele, assim como a exercer a missão debaixo de sua autoridade (Mc 6.7-13).

Como o Pastor que supre a necessidade das ovelhas em um amplo pasto verdejante, Jesus passou um bom tempo ensinando àquelas pessoas até hora avançada, o que tornaria difícil a elas viajar e encontrar alimento necessário para o restante do dia. Cientes disso, os discípulos passam a avisar Jesus do horário e da necessidade que as pessoas tinham de comprar o alimento para a noite (Mc 6.35-36). O verbo grego traduzido por "disseram" está no aspecto imperfeito e indica um aviso contínuo dos discípulos ao Mestre.[1] Usando um pouco de criatividade santificada, talvez a cada cinco minutos um discípulo se aproximava dos ouvidos de Jesus e o lembrava do horário avançado.

Ao responder àqueles homens, Jesus coloca sobre os discípulos a responsabilidade de alimentar a multidão: "Providenciem vocês mesmos alimento para eles" (Mc 6.37). Ele não se satisfez em preocupar-se apenas com o horário oportuno para as pessoas adquirirem seu alimento. Foi muito além, queria proporcionar-lhes o próprio pão de que precisavam.

Sem entender Jesus, os discípulos manifestam sua total incapacidade de fazer o que ele ordenara. De onde tirariam duzentos denários, oito meses de salário de um trabalhador, a fim de comprar pão suficiente para aquela multidão? Então, Jesus pergunta sobre a quantidade de comida disponível. Eles vão atrás para saber e descobrem que havia apenas cinco pães e dois peixes. Como alimentariam mais de cinco mil pessoas com essa quantidade de comida?

Fica evidente a total incapacidade dos discípulos, com todos os seus recursos, de prover o alimento àquela multidão que se reunira em torno de Jesus. Aqui, o Mestre começa a desmontar qualquer autossuficiência humana. É exatamente esse tipo de confissão que ele queria ouvir: "Não podemos alimentar este povo!". Somente quando reconhecemos nossa limitação humana para realizar algo pelas próprias forças é que começamos a experimentar a suficiência de Cristo em nossa vida.

Que situações de sua vida ou ministério você se sente incapaz de enfrentar? Em que áreas tem percebido mais claramente suas limitações?

Talvez seja uma tarefa do trabalho que você tem dificuldades para realizar por falta de recursos ou limitação pessoal. Ou o conteúdo que o professor passou em sala de aula está difícil de aprender. Talvez você perceba o desafio de lidar com pessoas no seu emprego que o desprezam ou o tratam com indiferença e já não sabe mais como responder a elas. Pode ser também a dificuldade de evangelizar os que estão ao seu redor, a apatia em sua vida espiritual para com aqueles que estão perdidos, a falta de motivação para compartilhar da salvação.

Quem sabe você tem sido dominado pelo medo de assumir responsabilidades que o Senhor tem lhe concedido para servi-lo por temer a reação das pessoas a seu desempenho. Você acha que não pode contribuir na igreja por ver-se incapaz de fazer bem algo: ou é muito tímido, ou não sabe tocar instrumento nenhum ou acha que tem pouco conhecimento da Bíblia. E, assim, sente-se incapaz de servir a seus irmãos.

Talvez haja um pecado que o assedie e muitas vezes conquiste espaço em sua vida. Parece impossível vencê-lo. Quem sabe você lute para livrar-se da pornografia, mas se vê muitas vezes repetindo os mesmos erros. Quem sabe se deixe escravizar muitas vezes pelas tecnologias e parece que perdeu a capacidade de gerir bem seu tempo de um modo que expresse boa mordomia do que Deus lhe tem confiado. Talvez a inveja ou competição com outros colegas cujo ministério parece florescer, enquanto o seu parece não sair do lugar, tire de você a alegria e o encha de desânimo.

Se você percebe sua pequenez e insuficiência em algumas dessas situações, é exatamente aí que Deus deseja chegar com você. Porque a força e o poder para enfrentá-las não reside em nós, mas na suficiência de nosso Salvador, como o texto continua a nos ensinar.

A suficiência de Cristo se manifesta por meio de nossa fraqueza

É muito interessante que, apesar da limitação dos discípulos, Jesus os envolve, bem como seus recursos, na demonstração de sua divindade e suficiência. Ele não responde irritado: "Saiam para lá, seus incapazes! Resolverei sozinho essa situação". Ao contrário: o Mestre tem prazer em envolver os Doze em seu ministério à multidão.

Primeiramente, Jesus lhes dá a incumbência de organizarem as pessoas em grupos sentados sobre a grama verde. Os discípulos cumprem a ordem do Mestre e dividem a multidão em grupos de cinquenta e de cem. Depois, em um gesto gráfico, toma os pães e peixes, ergue os olhos para o céu, dá graças e parte os pães (Mc 6.41). O Filho não pôde deixar de reconhecer a presença do Pai no suprimento do alimento, como ensinara constantemente a seus discípulos (Mt 6.9-11,25-33). O gesto de quebrar os pães e distribuí-los era comum aos hospedeiros judeus que iniciavam a refeição, quebrando o pão em pedaços e distribuindo aos convidados.[2] O banquete aqui é certamente um contraste marcante com o banquete oferecido por Herodes alguns versículos antes. Enquanto no de Herodes prevaleceu a injustiça e a morte de um inocente, aqui o amor e justiça de Jesus foram evidentes na distribuição do alimento.

Além de usar o recurso limitado dos discípulos, cinco pães e dois peixes, Jesus os envolve na distribuição do alimento que é oferecido a todos, sem exceção. É na insuficiência dos discípulos que Jesus revela sua completa suficiência e os torna cooperadores no ministério que proclama sua glória e graça divina à multidão ali presente. Somente o próprio Deus poderia alimentar aquela imensa multidão e multiplicar o alimento. Assim como ocorreu no suprimento do maná no deserto durante o êxodo do povo de Israel, aqui o próprio Deus encarnado supre a multidão em um lugar ermo.

Jesus continua a nos convidar a participarmos do serviço que promove a glória de sua graça suficiente. Fomos salvos para o louvor de sua gloriosa graça (Ef 1.6)! Apesar de nossas limitações, ele nos chama a sermos discípulos engajados, participando da promoção de seu reino entre as pessoas. Não porque somos bons, capazes ou sábios, mas exatamente o contrário: é por meio dos fracos deste mundo que Deus demonstra o seu poder (1Co 1.25-27).

Encaramos os desafios do ministério e os relacionamentos difíceis sustentados pela graça de Deus que nos capacita a realizar sua vontade. Evangelizamos motivados pelo amor de Cristo que nos constrange e que foi derramado em nosso coração por Deus mediante seu Espírito (2Co 5.14,15; Rm 5.5). Derramamos a vida por nosso cônjuge e nossa família em dias cansativos e difíceis movidos pela mesma entrega sacrificial de Jesus por nós na cruz, que nos dá a força e os recursos necessários para imitar seu amor sacrificial.

Servimos a ele motivados por sua graça que nos salvou e nos chamou para servir (1Tm 1.12-14; 2Tm 1.8-11). Vencemos o pecado que nos assedia pelo poder de vida do Espírito Santo (Rm 8.1-14; Gl 5.16-18,24-25).

Nada fazemos por ter força suficiente em nós mesmos, mas porque a salvação que nos alcançou nos capacita a uma vida que promove a glória da graça suficiente de Deus, para que outros a vejam e a conheçam.

A suficiência de Cristo satisfaz plenamente as necessidades humanas

No final do texto, encontramos o relatório de que todos comeram; todos se fartaram. Ainda sobrou alimento. Foram doze cestos cheios de pedaços de pães e peixes! Mais de cinco mil pessoas se alimentaram muito bem com apenas cinco pães e dois peixes! Cristo satisfez a necessidade das pessoas naquele momento. Os discípulos poderiam ter certeza de que debaixo de seu senhorio desfrutariam do mesmo cuidado e nada lhes faltaria, toda necessidade seria plenamente satisfeita.

Jesus é suficiente para suprir todas as nossas necessidades. Como diria o salmista, Deus é nosso Pastor e nada nos faltará (Sl 23.1)! Nossa insatisfação com a suficiência de Cristo ocorre quando queremos beber da água que não mata a sede. Investimos nossos recursos naquilo que não é pão nem satisfaz (Is 55.1-2). Então, agimos como o povo de Israel no deserto que, apesar do cuidado contínuo e sempre presente do Senhor, nunca se alegrava na suficiência de Deus.

Precisamos crer que a presença de Cristo sempre será suficiente em nossa vida. Uma espiritualidade plena e verdadeira aos olhos de Deus consiste em confiar no cuidado sábio e amoroso que nosso Salvador e Senhor tem por nós e de que ele sempre será suficiente em meio à nossa limitação e fraqueza.

Talvez o maior passo que podemos dar hoje para crescer na dependência da suficiência de Cristo seja dobrar os joelhos e orar a nosso Senhor: "Ó Deus, sou limitado, sinto-me fraco diante das lutas que enfrento, não tenho forças para vivenciar uma espiritualidade verdadeira e significativa. Em Cristo, porém, posso ser o que tu esperas de mim. Não em minha força, mas na tua força; não em meu conhecimento, mas na tua sabedoria; não por meu poder, mas pelo poder do teu Espírito, que habita em mim e me capacita a viver de forma plena e relevante para a glória de Deus. Em nome de Jesus. Amém!".

Notas

Introdução

[1] Idulce Ahlert e Alvori Ahlert, "Sustentabilidade e espiritualidade: experiências de educação ambiental na educação básica", *Protestantismo em Revista*, vol. 45, n. 2 (2019), p. 73-89.

[2] Amanda Milléo, "O poder da espiritualidade na hora da morte", *Gazeta do Povo*, 12 de setembro de 2015, <https://www.gazetadopovo.com.br/viver-bem/comportamento/alma-leve-para-partida/>, acesso em 6 de maio de 2022.

[3] Sam Harris, filósofo ateu, defende uma espiritualidade dissociada da religião, pois, em sua perspectiva, a espiritualidade implica ser capaz de superar a ideia de que somos únicos e indivisíveis e, assim, "nos tornarmos melhores em contribuir para o bem-estar dos outros". Ver Rita Loiola, "A espiritualidade sem Deus", *Veja*, 14 de dezembro de 2014, <https://veja.abril.com.br/ciencia/a-espiritualidade-sem-deus/>, acesso em 6 de maio de 2022.

[4] Lawrence Cunningham e Keith J. Egan, *Christian Spirituality: Themes from the Tradition* (Mahwah: Paulist, 1996), p. 14.

[5]Don Thorsen, *Pocket Dictionary of Christian Spirituality* (Downers Grove: InterVarsity, 2018), p. 129; Alister McGrath, *Uma introdução à espiritualidade cristã* (São Paulo: Vida, 2008), p. 20-21.

[6] McGrath, *Uma introdução à espiritualidade cristã*, p. 24.

Capítulo 1

[1]David E. Garland, *Mark*, The NIV Application Commentary (Grand Rapids: Zondervan, 1996), p. 73.

[2]James R. Edwards, *The Gospel according to Mark*, The Pillar New Testament Commentary (Grand Rapids/Leicester: Eerdmans/Apollos, 2002), p. 66.

[3]Martinho Lutero, *Como orar*, Monergismo.com, <http://www.monergismo.com/textos/livros/como-orar_lutero.pdf>, acesso em 2 de maio de 2022.

[4]Leland Ryken, *Santos no mundo: Os puritanos como realmente eram* (São José dos Campos: Fiel, 1992), p. 30.

Capítulo 2

[1]Adolf Pohl, *Evangelho de Marcos*, Comentário Esperança (Curitiba: Esperança, 1998), p. 124.

[2]Ver, p. ex., Mt 27.12; Mc 15.3; Lc 11.54; 23.2,10,14; Jo 5.45; At 22.30.

[3]Pohl, *Evangelho de Marcos*, p. 126.

[4]Essa ilustração foi adaptada da obra de Timothy Keller, *A cruz do rei* (São Paulo: Vida Nova, 2012), p. 60-61.

[5]Keller, *A cruz do rei*, p. 61.

Capítulo 3

[1] Adolf Pohl, *Evangelho de Marcos*, Comentário Esperança (Curitiba: Esperança, 1998), p. 428.

[2] Dietrich Bonhoeffer, *Discipulado* (São Leopoldo: Sinodal, 2004), p. 7.

Capítulo 4

[1] "Durante a festa da Páscoa, entre 85.000 e 300.000 peregrinos afluíam para a cidade de Jerusalém, que tinha uma população estimada de 60.000 a 120.000." David E. Garland, *Mark*, The NIV Application Commentary (Grand Rapids: Zondervan, 1996), p. 513-514.

[2] Flavius Josephus, "Wars of the Jews", 1.88,89, in: W. Whiston, ed., *The Works of Josephus: Complete and Unabridged* (Peabody: Hendrickson, 1987), p. 550.

[3] Portas Abertas, "Cristãos são inocentados no Irã", 7 de fevereiro de 2022, <https://www.portasabertas.org.br/noticias/cristaos-perseguidos/cristaos-sao-inocentados-no-ira>, acesso em 25 de abril de 2022.

[4] C. E. Hill, "Paradox Pushers and Persecutors?", in: M. F. Bird, org., *How God Became Jesus: The Real Origins of Belief in Jesus' Divine Nature — A Response to Bart Ehrman* (Grand Rapids: Zondervan, 2014), p. 197-198; Peter G. Bolt, *The Cross From a Distance: Atonement in Mark's Gospel*, New Studies in Biblical Theology (England/Downers Grove: Apollos/InterVarsity Press, 2004), p. 114-115.

[5]Walter W. Wessel; Mark L. Strauss, "Mark", in: Tremper Longman III e David E. Garland (orgs.), *The Expositor's Bible Commentary: Matthew–Mark*, ed. rev. (Grand Rapids, MI: Zondervan, 2010), vol. 9, p. 940.

[6]James R. Edwards, *The Gospel according to Mark*, The Pillar New Testament Commentary (Grand Rapids/Leicester: Eerdmans/Apollos, 2002), p. 413-414.

[7]David E. Garland, *Mark*, p. 517.

[8]Matthew Henry, *Matthew Henry's Commentary on the Whole Bible: Complete and Unabridged in One Volume* (Peabody: Hendrickson, 1994), p. 1810.

[9]Vinte dos 29 missionários enviados inicialmente pela comunidade de Herrnhut morreram em St. Thomas e St. Croix naqueles primeiros anos.

[10]Ver John Piper, "At the Price of God's Own Blood", *Desiring God*, 7 de maio de 1989, <https://www.desiring god.org/messages/at-the-price-of-gods-own-blood>, acesso em 29 de abril de 2022.

[11]Matthew Henry, *Matthew Henry's Commentary on the Whole Bible*, p. 1809.

[12]James R. Edwards, *The Gospel according to Mark*, p. 414-415.

[13]David E. Garland, *Mark*, p. 516.

[14]Citado em Thomas C. Oden e Christopher A. Hall (orgs.), *Mark*, Ancient Christian Commentary on Scripture (Downers Grove: InterVarsity, 1998), p. 191.

[15]Mark L. Strauss, *Mark*, Zondervan Exegetical Commentary on the New Testament (Grand Rapids: Zondervan, 2014), p. 610.

Capítulo 5

[1]Philip Yancey, *Oração: ela faz alguma diferença?* (São Paulo: Vida, 2007), p. 14-15.

[2]John Stott, *Christian Basics*, citado em Timothy Dudley-Smith (org.), *Cristianismo autêntico: 968 textos da obra de John Stott* (São Paulo: Vida Acadêmica, 2006), p. 302.

[3] Adolf Pohl, *Evangelho de Marcos*, Comentário Esperança (Curitiba: Esperança, 1998), p. 407.

[4]James A. Brooks, *Mark*, The New American Commentary (Nashville: Broadman & Holman, 1991), p. 234; Walter W. Wessel e Mark L. Strauss, "Mark", in: Tremper Longman III; David E. Garland, Orgs., *The Expositor's Bible Commentary: Matthew–Mark*, ed. rev. (Grand Rapids: Zondervan, 2010), vol. 9, p. 951.

[5]Paul Lee Tan, *Encyclopedia of 7700 Illustrations: Signs of the Times* (Garland: Bible Communications, 1996), p. 1525.

[6]Ver o uso desse mesmo adjetivo grego em Romanos 1.15 (NVI): "Por isso *estou disposto* a pregar o evangelho também a vocês que estão em Roma".

[7]John Bunyan, *Prayer*, citado em Joel Beeke, *Vivendo para a glória de Deus: Uma introdução à fé reformada* (São José dos Campos: Fiel, 2010), p. 226.

[8]H. G. Liddell, *A Lexicon: Abridged from Liddell and Scott's Greek-English Lexicon* (Oak Harbor: Logos Research Systems, 1996), p. 93.

[9]Adaptado de Lee Tan, *Encyclopedia of 7700 Illustrations*, p. 1034.

Capítulo 6

[1]Entendo que o imperfeito ἔλεγον ("diziam") aqui tem uso interativo, isto é, indica uma ação repetida no passado. Ver as explicações e os exemplos em Daniel B. Wallace, *Gramática grega: Uma sintaxe exegética do Novo Testamento* (São Paulo: Batista Regular, 2009), p. 546-547.

[2]Adolf Pohl, *Evangelho de Marcos*, Comentário Esperança (Curitiba: Esperança, 1998), p. 215.

Sobre o autor

Tiago Abdalla T. Neto é mestre em Teologia Bíblica pelo Seminário Teológico Servo de Cristo, em Teologia e Exposição do Antigo Testamento pelo Seminário Bíblico Palavra da Vida, e em Ciências da Religião pela Universidade Metodista de São Paulo. Participou do Comitê de Tradução da Nova Versão Transformadora (NVT) e do Comitê de Revisão da Nova Versão Internacional (NVI). É missionário e professor das áreas de Estudos Bíblicos e Hermenêutica no Instituto Missionário Palavra da Vida e professor de Teologia do Antigo Testamento na Escola Teológica Charles Spurgeon. Pela Mundo Cristão, publicou em 2022 o livro *Amizade*. É casado com Fabiana, com quem tem duas filhas, Katharina e Beatriz.

Compartilhe suas impressões de leitura,
mencionando o título da obra, pelo e-mail
opiniao-do-leitor@mundocristao.com.br
ou por nossas redes sociais

Esta obra foi composta com tipografia Calluna
e impressa em papel Pólen Natural 70 g/m² na gráfica Eskenazi